我国上市公司退市法律制度研究

严剑冰　著

哈尔滨工程大学出版社
Harbin Engineering University Press

内容简介

本书提出我国需要完善上市公司退市规则体系,加强对上市公司退市的监管,建立完善的上市公司退市民事责任体系,建立完善的多层次证券市场。本书从运行法律制度的视野对上市公司退市制度进行构建,重点研究我国上市公司退市法律制度问题,通过对国内外研究成果的研究分析,从上市公司退市规则、上市公司退市的监管机制和上市公司退市的法律责任等视角全面认真分析了我国上市公司退市法律制度,对现阶段我国上市公司退市法律制度提出了改进建议。

本书适合管理专业及企业、金融等相关领域的人士学习和参考。

图书在版编目(CIP)数据

我国上市公司退市法律制度研究 / 严剑冰著. — 哈尔滨：哈尔滨工程大学出版社, 2023.3
ISBN 978-7-5661-3786-9

Ⅰ. ①我… Ⅱ. ①严… Ⅲ. ①证券法–研究–中国
Ⅳ. ①D922.287.4

中国国家版本馆 CIP 数据核字(2023)第 020864 号

我国上市公司退市法律制度研究
WOGUO SHANGSHI GONGSI TUISHI FALÜ ZHIDU YANJIU

选题策划　马佳佳
责任编辑　马佳佳
封面设计　李海波

出版发行	哈尔滨工程大学出版社
社　　址	哈尔滨市南岗区南通大街 145 号
邮政编码	150001
发行电话	0451-82519328
传　　真	0451-82519699
经　　销	新华书店
印　　刷	哈尔滨午阳印刷有限公司
开　　本	787 mm×1 092 mm　1/16
印　　张	8.25
字　　数	205 千字
版　　次	2023 年 3 月第 1 版
印　　次	2023 年 3 月第 1 次印刷
定　　价	48.50 元

http://www.hrbeupress.com
E-mail:heupress@hrbeu.edu.cn

前　言

　　上市公司退市是一个常谈常新的话题。早在1994年颁布的《中华人民共和国公司法》（以下简称《公司法》）就有相关规定，但其在长达7年的时间里，一直未实施。直到2001年，PT水仙退市，上海水仙电器股份有限公司成为中国第一家退市公司。随着我国资本市场注册制改革的推进，截至2021年底，退市公司达到83家，仅2020年，就有17家上市公司被强制退市。这些年，我国对资本市场进行深度改革，也取得了不少成果。但是，上市公司退市制度还存在不足，有相当一部分规定还只是纸上的规则，许多法律规定还没有得到真正的贯彻执行。在大多数成熟资本市场中，退市规则和上市规则是一致的。我国在上市问题上，从审批制到核准制再到注册制，有巨大的进步。但是，改革还在进行，如存在退市程序不畅、信息披露不及时、监管制度不到位、对于中小股东的保护不够等问题，这些都需要做出更进一步的明确规定。

　　上市公司退市制度是证券市场体系中的重要组成部分，它对证券市场提高资源分配效率、实现自我净化具有重要意义。对于上市公司而言，它具有促进其提升价值、完善公司治理的有效作用；对于投资者而言，它具有制约其行为、保护其权益的风险警示作用。上市公司退市制度，经过多年的发展，其作用日渐为人所认识，同时受到各国和地区证券市场的青睐。我国的证券市场是在学习、借鉴，甚至是模仿国外成熟市场的经验、做法中发展起来的。长期以来，我国证券市场呈现"能进不能出"的奇怪现象，该现象已严重制约了证券市场功能的实现，亦在一定程度上影响了整个证券市场的发展。

　　一个成熟的证券市场，由两大制度构成，即上市制度和退市制度，只有具备上市和退市两大法律制度，才能被称为是一个双向开发、有进有出的证券市场。作为证券市场的基石之一的上市公司退市制度，如何有效地规范退市规则，如何监督其正常运行，如何保护证券市场投资者的权益等一系列问题，一直是我国证券市场面临的重要难题。因此，本书在借鉴成熟证券市场上市公司退市先进经验的基础上，立足于我国上市公司退市制度的不足之处，希冀为构建我国完善的上市公司退市制度提供一点思路和帮助。

　　基于以上的理解，本书舍弃了上市公司退市制度中众多小而杂的问题，选择其退市的规则、监管、民事责任三大问题为研究对象，目的是对构建一套整体的上市公司退市制度进行研究，因而并非是对上市公司退市制度的全面研究。本书的主要内容如下。

　　第一章，上市公司退市制度的理论基础。本书对上市公司退市制度的理论基础进行阐述。首先，对上市公司退市的概念、基本原则、退市的方式，以及上市公司退市的法律价值进行界定，旨在为上市公司退市的界定提供理论基础。其次，详细对国内外上市公司退市制度的发展历史进行论述；最后，分析上市公司退市的一般理论，重点分析契约理论、风险控制理论与上市公司退市的法律关系。

第二章，上市公司退市的规则。首先，分析我国上市公司退市的规则现状、现实困境，特别是分析了上市公司退市的标准、程序，以及退市相关配套制度存在的问题，剖析其根源；其次，是对成熟证券市场上市公司退市规则的借鉴，主要对美国、英国、日本等发达国家上市公司退市的规则特点、内容进行系统分析；最后，讨论与上市公司退市规则相关的立法改革动向。

第三章，上市公司退市的监管机制。重点考察上市公司退市的监管问题。首先，对上市公司退市监管的含义、退市监管的目的、原则，以及退市监管的发展进行分析；其次，重点考察上市公司退市监管的内容，重点讨论因"重大违法行为"退市、信息披露的监督；再次，分析我国上市公司退市监管制度存在的缺陷；最后重点分析我国退市监管体系、信息披露制度存在的缺陷。

第四章，上市公司退市的法律责任。本章研究了上市公司退市的法律责任，重点论证上市公司退市的民事责任。首先，对上市公司退市法律责任的一般理论进行分析；其次，分析上公司退市的民事责任，重点分析上市公司退市民事责任的法律性质、民事责任的主体、归责原则、因果关系、民事责任的损害赔偿；最后，重点研究上市公司退市民事责任的司法救济，对上市公司退市民事责任司法救济的方式、退市民事责任的原因主体资格及上市公司退市民事诉讼形式进行重点分析。

第五章，上市公司退市制度的构建。本章的论述旨在重构我国上市公司退市制度。基于此，提出三个研究切入点：一是建立上公司退市规则体系。提出我国需要设定科学多元的法定退市标准，建立科学的上市公司主动退市制度和股票定价机制。二是建立上市公司退市监管体系。应对上市公司退市监管机构进行正确定位，并且完善上市公司退市监管机构的权力运行机制，妥善处理与自律机构的关系，健全监管制约机制。三是建立上市公司退市民事责任体系。提出我国证券市场需要建立多层次"阶梯市场"及场外、场内交易市场转板市场机制，完善代办股份转让系统。

最后是结论。一是论述本书的主要观点。提出我国需要完善上市公司退市规则体系，加强对上市公司退市的监管，建立完善的上市公司退市民事责任体系，建立完善的多层次证券市场。二是本书的创新性。本书的主要创新在于从运行法律制度的视野对上市公司退市制度进行构建。三是本书的主要局限性。本书还缺乏实际调研和实证分析，例如，如何将国外的先进制度本土化、如何更深入地设计符合我国国情的上市公司退市规则体系、监管机制及法律责任体系等，所提出的具体方案和实现路径需要进一步加强研究。

上市公司退市法律制度研究，是一次学术探索，目的是抛砖引玉，书中如有不当之处，敬请学界前辈和同人不吝赐教。

著　者

2023 年 1 月

目　　录

导　　论

只要不违反公正的法律，那么人人都有完全的自由以自己的方式追求自己的利益。

——亚当·斯密

证券市场是金融市场的一个重要组成部分。围绕证券市场的融资上市、金融交易和退市而进行的博弈成为金融市场的冲突根源。古今中外，皆是如此。1602 年，在荷兰阿姆斯特丹市，世界上第一个证券交易所——阿姆斯特丹证券交易所成立了。由此，开启了以金融股票为主的证券市场，英国在 1689 年已出现了挂牌的证券交易，直到 1773 年才正式改为证券交易所，即伦敦证券交易所。美国到 1792 年才正式成立证券交易所，即纽约证券交易所，其是世界上成立较早，也是目前规模最大的交易所之一。我国于 1990 年11 月成立中国第一家证券交易所——上海证券交易所。时至今日，我国证券市场已经走过了 30 多个年头，作为一个新兴市场，我国证券市场逐步从最初的不规范，成功迈向了规范化，但随着我国证券市场的蓬勃发展，一些问题也逐步暴露出来，并且呈现日渐严重的趋势，其中较为突出的问题就是我国上市公司退市问题。

一、问题缘起

本书并非意在推出一个全新的理论，恰恰相反，它所致力的不过是对我国上市公司退市制度提出一些完善的建议。上市公司退市制度，作为我国证券市场重要制度之一，有着其起源历史，并伴随着经济的发展，无论是在我国还是在西方发达国家，都有着相同的基因，但却因我国与西方发达国家不同的社会、经济、政治构成及不同的发展路向，最终滋生出不同的制度方式。

上市公司退市问题异常复杂，我国上市公司退市问题尤甚。根据沪深证券交易所数据统计，截至 2021 年 12 月，沪深证券交易所合计终止上市公司 83 家，有 62 家上市公司被强制退市。1990—2000 年，我国证券市场没有退市案例发生，直至 2001 年，PT 水仙被终止上市交易，成为我国证券市场首批依法退市的上市公司。从国外发达证券市场的退市情况来看，退市比例明显高于我国证券市场。在发达国家，上市公司以自主退市的方式进行退市，较为普遍，我国在 1993 年制定的《公司法》中，首次确定了上市公司退市制度，后经过多次修改，已经形成了包括《中华人民共和国证券法》(以下简称《证券法》)、《亏损上市公司暂停上市和终止上市实施办法(修订)》、关于执行《亏损上市公司暂停上市和终止上市实施办法(修订)》的补充规定、沪深两市的《证券交易所股票上市规则》、《关于改革完善并严格实施上市公司退市制度的若干意见》等法律、行政规章、自律管理条例在内的法律制度，对上市公司退市行为进行规范。虽然上市公司退市机制经过多次修改，但是我国上市公司退市依然存在诸多问题，我们不禁要问，对于上市公司而言，退市是一正常行为，为什么我国上市公司退市制度实施了 20 多年，仅仅 62 家上市公司被强制退市？为什么我国的退市效率那么低？是我国的退市规则问题？还是退市的执行出现了问题？甚至是规则、执行之外的其他问题？

最初，笔者和大多数普通人一样，把目光聚焦在上市公司退市的数量上，认为唯有退市公司的数量多，才能反映出我国退市制度运行的合理。但是，经过对上市公司退市制度的深入了解，发现我国退市制度是如此的复杂。上市公司退市的问题，在很多时候，不仅仅是退市本身的问题，它涉及地方政府的就业、税收以及维护社会稳定等诸多问题，甚至涉及我国国有企业改革的重大问题，再加上我国上市公司退市标准单一、退市程序规范不够全面、退市的执行力度不够，退市相关配套措施不完善，成为上市公司"退市难"的根源。

本书所关注的是中国上市公司退市规则、监管以及法律责任问题。为了能够更好地完成本项研究工作，笔者一方面对我国现行的上市公司制度的产生、发展和变迁进行重新梳理，找出其中的脉络，分析每次重大变迁所带来的重要影响，另一方面运用公司法、证券法的基本原理，剖析当下我国上市公司退市制度，找出其主要问题所在，探究其凌乱现象之根源。

二、文献梳理

用"凌乱"这一词形容国内外学术界关于上市公司退市的研究，应当不为过，上市公司退市制度的文献是极为丰富的，这些文献，代表着国内外上市公司退市制度发展的动态，特别是我国上市公司退市制度，有着强烈的"中国特色"，其中研究的人员不仅仅来自法学界，还有经济、政治学界的专家、学者，影响巨大。更为重要的是，在法学领域暂无系统的研究，因而开展此项研究有着极其重要的学术价值。

(一) 研究现状

1. 对上市公司退市机制失灵原因的研究

已有的关于对上市公司退市机制失灵的研究最为丰富，我国学者在研究我国上市公司退市机制失灵的原因时，分析出多种原因。例如，有学者认为，是一些上市公司想尽各种办法逃避退市，地方政府运用各种手段帮助上市公司避免退市；还有学者认为，是我国上市公司退市制度在法律规定和设计方面出现了问题等原因造成的；等等。不可否认，我国上市公司退市制度确实出现了失灵。

国内研究上市公司退市机制失灵的原因时，主要是从政策层面进行分析的，比如，江海、贺捷在其《论我国主板退市制度的完善——兼评〈关于完善上海证券交易所上市公司退市制度的方案〉》一文中认为，我国现行退市机制存在的主要问题是退市标准单一，且缺乏操作性、退市程序冗长、上市公司缺乏申诉权利和股票的退出通道不畅。当然，也有学者从退市体制原因方面分析，比如，丁丁、侯凤坤在其《上市公司退市制度改革：

问题、政策及展望》一文中认为，上市公司退出机制出现问题，除了退市制度规则层面的问题之外，退市难还有更深刻的体制原因和社会原因：一是上市公司退市意愿不强；二是并购重组壳资源仍然稀缺；三是地方政府积极性不高；四是市场结构体系建设失衡；五是投资者非理性干扰退市决策。

一些国外的学者也对上市公司退市失灵原因进行了研究，主要围绕上市公司强制退市的因素，特别是在证券机制或证券交易所规定的退市规则展开分析。国外一些学者强调，上市公司内部治理结构、经营范围、经营业绩都是影响上市公司是否退市的因素。Venkatesh Panchapagesan、Ingrid M. Werner 考察了 1992—2002 年 1 098 家公司退出纳斯达克证券交易市场的上市公司，退市原因之一就是不符合纳斯达克上市条件，退市公司的股票成交量下降高达三分之二。P. R. Chandy、Salil K. Sarker、Niranjan Tripathy 对美国全国证券市场上市前后的股票价格和流动性进行对比研究后认为，上市公司退市将会对企业产生很多负面影响，上市公司将其退市公告向市场宣告后会造成股票市场价格下跌。Jonathan Macey、Maureen O'Hara、David Pompilio 强调，自 1995 年到 2000 年，大概 7 300 多家上市公司退市，这些公司中几乎一半的公司是被强制退市的。Knudsen Jette 对美国证券市场上被强制退市的上市公司进行了深入研究后认为，小型上市公司比大型上市公司更容易被强制退市。Ndreas Charitou、Christodoulos Louca、Stelios Panayides 对纳斯达克市场 1997 年至 2006 年强制退市的上市公司进行比较分析后发现，上市公司管理层独立性越差，股权越容易集中到内部人手中，上市公司越容易被强制退市。

2. 对创业板市场退市制度的研究

与对上市公司退市制度失灵的研究相比，对创业板市场退市制度研究的学者也不占少数，特别是我国的一些学者认为，创业板市场是一个新兴的市场，国有企业较少，推行上市公司退市的阻力较小，应当确立严格的退市标准。

杨峰在其《海外创业板市场退市制度研究》一文中认为，我国主板市场上市资源的稀缺性和政府对上市资源的垄断性，抬高了拟上市公司的上市门槛。总结我国主板市场教训和海外创业板市场的经验，他认为，我国创业板市场退市标准应与上市标准相统一，畅通入市机制，减少政府干预等非市场因素对入市标准的影响。江海、贺捷在其《论我国创业板退市程序的完善——兼评〈2012 年深交所创业板股票上市规则〉》一文中强调，我国现行退市程序行政力量过度干预、程序时间冗长、不禁止借壳重组、复核制度流于形式、退出管道不通畅，我国创业板退市应当弱化行政干预、缩短程序时间、完善复核制度、疏通退出管道。

3. 对上市公司退市制度中主动退市的研究

对上市公司退市制度中主动退市的研究，我国学者的研究主要是在上市公司强制退市方面，而且基本停留在对国外制度的介绍层面，缺乏系统的研究。

在上市公司退市制度中主动退市方面较有代表性的学者观点如下。王晓馨在《德国主动退市制度评析》一文中指出，德国在 1998 年已经确立了主动退市制度，在德国主动退市国家对证券市场的参与减少，使发行人主动退市的难度降低，上市公司可以依据自己的公司经营状况及筹资情况，自行决定进退。张娇娇、刘峥、周倪波在《我国上市公司主动退市的效应分析》一文中分析，我国上市公司主动退市制度已初见成效，但公司主动退市过程中存在信息不对称、业绩不稳定和大股东侵占行为。

国外也有许多学者对主动退市进行了深入的研究，研究的范围主要集中在主动退市的方式、监管以及主动退市后的股东利益的保护方面。国外的学者强调，上市公司选择主动退出证券市场，多家上市公司选择私有化退市。然而，在主动退市过程中，监管部门应当减少对私有化退市的干预，同时要加大在私有化退市过程中对中小股东的保护。Notes 认为，上市公司私有化退市的主要动机是管理层可以低价回收股票，并且可以规避监管部门的监管，采取的方式主要有合并和收购两种，控股股东或公司管理层有严重侵犯中小股利益的情况。Joshua M. Koening 认为，上市公司主动退市的主要原因是公司经营不善，证券市场管制成本太高，上市公司在证券市场价值被严重低估，他还认为，上市公司的负债是其选择私有化退市的最根本原因。上市公司私有化退市可以选择公司合并，还可以采取收购股票和资产出售等方式。

4. 对上市公司退市完善措施的研究

在研究我国上市公司退市完善措施时，一些学者提出了自己的建议。有些学者认为，应当从制度建设方面入手，完善我国退市制度的相关规定。较有代表性的学者观点如下。张妍妍在其《我国上市公司退市问题及对策》一文中建议，一是在法规层面，完善退市规则；二是在制度层面，矫正证券市场的功能定位，深化体制改革；三是在操作层面，减小实施弹性，增强监管力度。潘瑜在《建立健全我国上市公司退市法律制度》一文中指出，完善我国上市公司退市法律制度，首先是改善上市公司退市宏观环境，建立健全相关配套法律制度主要措施：一，完善我国证券发行制度，实现证券发行、上市市场化；二，建立多层次的交易市场体系，恢复场外交易市场，为退市提供通道和出口，而后是上市公司退市制度自身的完善。主要措施是：一是进一步细化我国上市公司退市标准，增强其确定性和可操作性；二是进一步完善退市程序，赋予公司更多权利。国外学者研究上市公司退市对股票影响较多，特别是一些学者通过实证方式进行研究，列举了大量数据，证明上市公司退市对股票交易有无必然联系，以及退市制度是否影响股票价格等相关问题。较有代表性的学者观点有：Jonathan Macey、Maureen O'Hara、David Pompilio 对 2002 年从纽约证券交易所退市公司的股票进行了分析，他们认为，退市公司的股票退市之后到粉单市场(全国性的场外交易市场)进行的交易，其股票价格下跌一半，平均股票价格差比在主板市场交易前扩大达两到三倍，股票价格浮动明显提高。Peter Hostak、Thomas Lys、Yong George Yang、Emre Karaoglu 认为，近几年很多公司走向衰落，大量上市公司从证券交易所退市，他们研究发现，企业有积极的现金流但没有宝贵的发展机遇，并且大量内部持股，导致更容易走向衰落；企业走向衰落后，投资者的股票流动性就变得比较差；同时，上市公司发出退市公告后，股票将直接受到影响。

5. 在上市公司退市中对中小股东权益保护的研究

上市公司退市制度能否有效建立的一个前提，即上市公司退市时，如何确保中小股东的利益不受侵害。因此，上市公司退市制度中对中小股东权益保护问题的研究具有非常重要的意义。上市公司退市制度对中小股东权益保护方面，较有代表性的学者观点如下。姜水静在《略论我国上市公司退市的民事责任制度》一文中强调，在强制退市中，投资者有权就上市公司退市所遭受的股票价格损失向上市公司及上市公司管理人员进行诉讼，以弥补上市公司退市给投资者带来的损失，并从诉讼请求权主体、投资者损失的界定、诉讼中的因果关系、现有法律制度存在的障碍及解决办法等方面提出投资者在退市遭受损失时如何进行诉讼。王东光在《上市公司退市时小股东利益之保护》一文中认为，上市公司自愿退市应经过股东大会同意，并应向全体股东发出收购要约，同时赋予股东对收购价格提起诉讼的权利。

国外发达证券市场在上市公司退市中需要履行许多程序，多数上市公司自愿退出证券市场都是通过主动退市方式进行的，但是由于主动退市会影响到中小股东的利益，所以国外学者在对主动退市进行研究时，都要建议加强保护退市中的中小股东利益。Sarah Al-Moos 认为，退市存在严重侵犯中小股东利益的情况，应当对退市的方式进行管制，当前退市方式中主要适用的董事及大股东的信义义务有很多不合理之处，应当加强退市中管理层和控股股东的信息披露义务。William J. Carney 认为，许多上市公司由于遵循《萨班斯法案》而造成执行成本过高，而选择主动退出证券市场，《萨班斯法案》对小公司的影响大于大公司，《萨班斯法案》颁布后，主动退市的上市公司中中小公司居多，严重侵害了小股东的权益，同时《萨班斯法案》的制定有诸多不合理之处，应该进行修订。

(二) 对现有文献的评述

上市公司退市制度作为研究《公司法》的最后一道程序，吸引了各学科的学者孜孜不倦地对其进行研究和讨论，对于他们的研究成果，本书做以下总结。

首先，研究我国上市公司退市制度，离不开对投资者的民事权益的保护。无论是经济、管理学还是法学专业的学者，都对上市公司退市制度有所关注，很多学者通过借鉴国外发达国家证券市场的先进经验，完善我国上市公司退市法律制度，并提出有利于退市制度发展的意见，然而，令人诧异的是，他们研究的出发点，是认为上市公司退市程序或者是规则出现了问题，对于退市制度的核心——投资者权益的保护的研究却很少，当然，这也反映出我国对上市公司退市制度研究理论的缺乏。

其次，现有的资料文献中，多强调对策及完善建议，但对上市公司退市的历史梳理较少，造成的结果是，用现有的资料无法分析出"我国上市公司退市制度的历史变迁过程"，"上市公司与证券交易所之间是什么关系"，"上市公司与投资者之间是何关系"，更解释不了"上市公司退市出现问题的根源在哪里？"当然，如果想试图通过解决我国上市退市制度问题，却不去了解它的制度变迁，认为可以通过一些表象找出问题所在，最终结果就是失败，其原因是不了解制度的历史变迁，便不会找到问题的根源所在，即使找到一些问题，所提出的具体措施也毫无可行性。

最后，问题出现的根源与我国国有控股企业有关。我国建立证券市场的初衷是为国有企业改革服务，以促使国有企业转换经营机制、建立现代企业制度。以 2012 年上海、深圳证券交易所上市公司的分布来看，我们可以发现，国有企业在 A 股市场控股上市公司 953 家，占 A 股上市公司总数的 38.5%，总市值的 51.4%。在这样的背景下，国有企业少有主动要求退市，甚至一些地方政府把国有企业上市公司数量的多少当作当地经济发展的标准，即使上市公司面临被强制退市的危险，地方政府也会花大力气将其退市风险化解。

三、研究内容及方法

（一）研究内容

上市公司退市制度的研究涉及政治、经济、法律等多方面，是一个庞杂的系统，使得本书的研究工作存在相当大的难度。而且上市公司退市制度仍在不断发展中，会有新的情况、新的问题、新的模式不断出现，但现实中因一些历史遗留问题，造成上市公司退市制度无法有效地实施。因此，本书试图对我国上市公司退市现行制度中存在的问题进行研究，并提出自己的一些见解，具体从以下几个方面着手。

1. 完善我国上市公司退市规则

在这部分中，本书试图先从我国上市公司退市的历史背景及现状出发，同时辅以法律理念进行实证分析，探讨上市公司退市制度的必要性、可行性。在这一部分中将结合我国现有的上市公司退市的方式进行实证分析，试图完善我国上市公司退市规则。

2. 加强上市公司退市的监管机制

上市公司退市制度建立之后，还存在执行问题。证券交易所应当按照退市制度的相关规定严格执行，对于一些达到退市标准的上市公司，启动退市程序，减少实施弹性。同时，证券交易所还应当加强对亏损而暂停上市公司恢复上市的审查力度，防止出现通过并购重组进行财务造假等事件的发生。在对上市公司退市审核时，还应建立专家委员会，对上市公司提供专家意见，从而提供判定标准。本书重点从以上方面出发，从而扭转当下监管机制的监督理念，完善证券交易所自律监管，并且加大对重大违法违规、信息披露违法行为的处罚力度，从而保护投资者的合法权益。

3. 建立完善的上市公司退市法律责任制度

上市公司退市，从客观上讲，会对投资者特别是中小投资者造成极大的损失。要对退市公司投资者特别是中小投资者的合法权益进行保护，应当对有明确重大违法公司的控股股东、监事及高级管理人员的相关责任主体要求民事赔偿责任。本书试图从以上几个方面出发，建立重大违法公司相关责任主体责任追偿机制，进一步对中小投资者合法权益加以保护。

（二）研究方法

本书主要采用文献研究方法、案例分析研究方法和比较分析研究方法进行研究。

1. 文献研究方法

文献研究方法是人文社会科研研究中常用的方法，在本书中所占地位是其他研究方式所无法超越的。本书通过搜集、鉴别、整理文献，对文献进行合理分析，并且归纳和总结。即通过对现有的文献进行阅读与比较，充分利用图书馆和电子网络上提供的资源，对上市公司退市制度有关期刊、论著、编著和译著等学术数据进行查找、搜集、阅读、分析，熟悉国内外关于上市公司退市制度的主要观点，广泛吸收相关研究，力争使本书的研究在浑厚的文献基础上做到史实详尽、理论完备、见解有创新、观点有突破。

2..案例分析研究方法

案例分析研究方法主要通过典型案例进行分析，找出相应的法律制度，对其进行推理说明。通过对案例进行分析，可以厘清法律规则演化过程，从而归纳出其运行规律，找出其对应策略。因此，本书在分析上市公司退市时，重点分析比较典型的退市案例，在选取上市公司退市案例时，寻找具有一定的代表性案例，并通过对上市公司退市的具体案例分析，找出我国上市公司退市规则中存在的问题，进而提出完善的建议。

3.比较分析研究方法

比较分析研究方法主要是指对两个或两个以上的事物或对象加以对比，以找出它们之间的相似性与差异性的一种分析方法。本书将对发达国家资本证券市场的法律制度进行比较与借鉴，选择适合我国国情的制度加以利用。由于发达国家证券资本市场较为成熟，上市公司退市制度实施比较早，有着成熟的规则，并积累了大量的成功经验。通过对国外退市制度的比较分析，并结合我国退市制度，可以发现我国退市制度中的不足之处，可以借鉴国外经验，以此完善我国上市公司退市制度。

四、研究的不足、难点和创新

本书的研究重点是我国上市公司退市法律制度问题，通过对国内外研究成果的分析，从上市公司退市规则、上市公司退市的监管机制和上市公司退市的法律责任等视角全面认真地分析我国上市公司退市法律制度，为我国上市公司退市法律制度的完善提供改进建议和参考。

(一)研究的不足

本书研究的不足之处，主要有以下两方面。

1.数据部分研究不足。由于调研样本较少，没有做出统计意义的分析，因此，所得结论缺乏数据支撑。

2.由于缺乏国外上市公司退市典型案例，本书在分析上市公司退市规则问题时，只选取了典型国家的退市案例进行分析，影响了本书的研究深度。

(二)研究的难点

本书研究的难点主要集中在以下几个方面。

1.国内外学者主要集中在对上市退市规则方面研究，对于上市公司退市监管、上市公司退市法律责任研究较少，如何从我国上市公司退市监督、上市公司退市法律责任方面找出存在的问题，并进行改善，将成为本书的难点之一。

2.我国从上市公司退市规则实施以来，共计有83家上市公司退市，由于样本量较少，不能进行进一步的统计分析。如何通过对这83家退市原因进行分析总结，也是本书的难题。

3. 我国上市公司退市，起步较晚，资本市场监管体系不够完善。当然，这里面有其特殊历史原因，如何把上市公司退市监管机构的法律地位、职能、组织机构等专门的条款加以明确，完善上市公司退市监管机构的权力运行机制，并妥善处理好与自律机构的关系，成为本书研究的难点之一。

(三) 本书的创新点

本书通过研究，在以下方面有理论上的创新，并具有实践参考价值。

本书的主要创新点在于从法律制度的视野对上市公司退市进行制度构建，"市场干预"和"法律的不完备理论"为上市公司退市制度的构建提供了理论支持，上市公司退市制度的构建最根本的目的是健全证券市场，实现优胜劣汰，提高上市公司的市场竞争力。

1. 提出了全面研究我国上市公司退市制度构建，采用理论分析和实证分析的方法来研究我国上市公司退市中的退市规则、上市公司退市监管、上市公司退市法律责任等。

2. 国内学者研究我国上市公司退市制度较少，即使有相关研究，大多也是根据事件进行研究，比如2001年PT水仙退市事件，成为当年的热点事件，也成为我国上市公司第一家退市的企业。本书在考察退市规则的同时，也将采用实践研究方法，试图通过热点事件，使得研究结果更加客观。

3. 案例分析也是本书的亮点，本书采用大量的案例分析研究上市公司退市中存在的问题，从个案分析中总结我国上市公司退市中存在的一系列问题，并提出完善建议。

4. 本书考察国内外上市公司退市制定，总结理论和实践检验，分析我国上市公司退市制度。

5. 在深入考察证券法学、公司法学等相关制度的基础上，本书从我国上市公司退市制度的演变和发展及国外上市公司退市制度的发展情况出发，针对我国上市公司退市制度的时代特点，提出了完善我国上市公司退市制度的建议。

第一章　上市公司退市制度的理论基础

透视一个深层且棘手的问题，最为关键的方法是开始以一种新的方式来思考。这一变化具有决定性的意义。一旦新的思维方式得以确立，旧的问题就会消灭；实际上人们很难再意识到这些旧的问题。

——路德维希·维特根斯坦

第一节　上市公司退市的概述

证券市场必然是一种双向开发的市场，即有进有出的市场，否则，它不能称为真正意义上的证券市场。我国《公司法》早有关于上市公司退市的相关规定，但从制度的实际运作上看，1990—2000年，我国证券市场没有退市案例发生，直至2001年，上海水仙电器股份有限公司因连年亏损被依法退市，成为我国证券市场首家依法退市的上市公司。在此，我们要提出疑问，为什么制度运行了多年，而没有发生一例上市公司退市事件？因此，为了更好地研究上市公司退市制度，本节重点分析上市公司退市相关概念内涵、上市公司退市的方式以及上市公司退市的法律价值，然而透过法律层面分析上市公司退市的制度变迁，最后重点通过契约理论、风险控制理论分析上市公司退市。

上市公司退市制度是证券市场的基本性制度之一，完善的上市公司退市制度，将有效地实现优化资源分配，提供上市公司治理结构的重要意义。但是，我们如何理解上市公司退市，它有什么样的退市方式及有何法律价值，这一系列问题，值得我们深究。

一、上市公司退市的概念及基本原则

我们研究上市公司退市制度，首先要给出一个清晰的内涵和周全的外延界定，法律文义的表达需明确。法学领域一直以来有着独特的语言体系，每当创设一个新词都必须赋予其确切的含义，否则，在未确定概念下讨论具体问题，会出现不在同一个语境下，同时也会出现所做的讨论与研究都是在做无用功的情况。针对"退市"这一词，是近几年比较流行的资本市场的语词，同时出现在各种规范性文件中并被广泛使用，特别是在证券市场极其不稳定的当下，因此，对其进行界定是必不可少的。

(一)上市公司退市的相关词源探析

"退市"这一词汇,虽然是作为一个新的词汇出现在人们的视野中,但是它所指的问题在我国由来已久。在我国证券市场出现以后,上市公司出现的退市相关问题,学界已讨论多时。

符启林曾对退市这一概念进行了简要概括,他认为,退市是指上市公司的股票不在证券交易所交易,但终止上市公司的资产、负债、经营、产品、亏盈等并不因退市而产生改变。杨帆认为,从事件发生的状态上看,上市公司竞争失利,导致产品、人员、战略及组织等方面进行局部或全部调整和重组,最终退出所在的金融市场。而从业务发展的过程看,退市有广义和狭义之分,广义的退市是指企业的兼并、收购、合并、重组和分立等推迟退出金融市场的过程,而狭义的退市是指企业经营不善,资不抵债,发生支付困难,根据有关的法律规定,"退市"是指企业自行宣布破产清算或被指令破产清算,从而退出进入市场的过程。李东方认为,所谓退市,主要是指上市公司股票因各种原因不再特定的证券交易所挂牌,从而退出特定证券交易所的一种法律行为。

本书认为,目前人们对"退市"一词的理解已经取得了一致,只是在表述上存在一些细微的差异,这并不影响对其概念核心的理解。我们所讨论的上市公司退市,应当依照法定程序,依法进行退市,具体退市程序,需按照证券交易所《上市规则》所规定的"终止"其股票资格,这里所指的"终止",即是"停止经营、清理或者转让"债权,并清偿其债务。

证券市场是"优胜劣汰""物竞天择"的场所,上市公司因经营不善,应当强行进行退市,但上市公司具有其特殊性,一旦个别上市公司发生破产,容易引发连锁反应,触发金融危机。因此,我们在完善和健全上市公司退市制度的同时,也应当建立完善的退市保障体系。

(二)上市公司退市的基本原则

上市公司退市,必须遵循股东平等待遇原则、信息披露原则、保护投资者利益原则。

1. 股东平等待遇原则

股东平等待遇原则是公平原则的具体体现,主要是在上市公司退市时,公司所有的股东在公司信息、清算等方面获得同等的机会。各国的公司法、证券法都有所规定,在公司清算时,应优先保护投资人的合法权益。因此,应建立完善的退市制度,不能忽视投资者的利益,要维护投资者的债权,使投资者的损失降至最低程度。

2. 信息披露原则

信息披露原则是证券法的一项基本制度,信息披露能够有效地防止证券欺诈和保护投资者,在传统的信息披露理念下,信息披露的义务人为证券发行人,因为他们掌握着有关证券的一切信息并在证券发行过程中处于优势地位,投资者则是信息披露的接受者。因此,强制信息披露制度是针对投资者的需求而设计的,同时也体现了对投资者利益的保护。

3. 保护投资者利益原则

保护投资者利益是上市公司退市最基本的原则。对于投资者来说，上市公司退市后，公司股票将不得转让，实际上，意味着投资者血本无归，如果是因为管理问题经营亏损，投资者自行承担投资风险，如果是因为亏损企业虚假上市或者因为信息披露不真实等原因造成投资者损失的，上市公司应当承担责任。因此，对于投资者的保护应当是上市公司退市的首要原则，特别应当加大对中小股东权益的保护。

二、上市公司退市方式的界定

在研究上市公司退市制度中，我们会发现，就上市公司退市的方式而言，运用不同的依据，可得出不同的退市方式和方法。英美国家的上市公司退市方式及方法，也是将上市公司退市分为强制退市和主动退市。当然，强制退市和主动退市的具体规定方面，还是有所区别。

蒋大兴在《公司如何死亡——公司退市监管政策的改革》一文中也对上市公司退市的方式进行了划分，他指出，从不同角度可以对退市做不同理解，就主观方面而言，公司退市有自愿退市和强制退市之别。2014 年 2 月 7 日，中国证券监督管理委员会出台了《关于改革完善并严格实施上市公司退市制度的若干意见》，对上市公司退市方式进行了简要分类，即按照主动退市和强制退市进行分类。而观察我国沪、深证券交易所的《股票上市规则》，也可以了解到，对于上市公司退市的方式，也是采取强制退市和主动退市的方式。因此，本书将对上市公司退市方式采用强制退市和主动退市的方式分析论述。

（一）强制退市

强制退市又称为被动式退市，是指由于法定的理由（资不抵债、严重违规经营等），股权发生变动等原则，经证券交易机构决定，暂停其股票上市。造成强制退市的原因有很多种，具体概况为两大类：经营性原因造成强制性退市和违法性原因造成强制退市。营业性原因造成强制性退市，主要是因为上市公司因公司市值、股本总额或公众持有股票不符合上市公司上市的条件。违法性原因主要是违反了《证券法》规定或者违反了与证券交易所签订的上市协议的规定，被证券交易所强制退市。

（二）主动退市

主动退市又称为自愿退市、自主退市，是上市公司因分类、合并或者出现公司章程规定的事由需要解散，其主要特点是"主动要求解散"。主动退市基本属于上市公司的自主行为，即上市公司由于公司重组、合并或者股权发生变化等原因而撤回上市。由于是上市公司的自主行为，有关非强制性退市的规定与强制性退市的规定相比简单些。主动退市主要是基于上市公司的上市合同的约定，行使有限的合同解除权的情形。上市公司是否继续集中在交易所进行交易或者在哪一个交易所进行交易都可以由公司自己来自行决定，并不能用公共权力加以限制。所以，只要公司自己提出申请，无须说明理由，就可以退市。我国《证券法》中规定了上市公司退市可由证券交易所按照业务规则终止上市交易，具体退市的方式在沪深证券交易所《股票上市规则》中涉及，其原因与我国上市公司主动退市的需求密切相关。但在我国，公司都唯恐上不了市，少有主动要求退市的情形。

三、上市公司退市的法律价值

法律的价值是社会价值系统中最为重要的组成部分，研究任何问题，都应当以科学的价值观为前提，这样才能进行正确的研究。具体而言，法律的价值是指法律对人来讲，拥有哪些值得重视的性质、作用；法律的价值一般包括对实然法的认识，也包括对应然法的追求。法律的价值一般划分为秩序、自由和正义。

英国著名的法学家丹尼斯·劳埃德指出，某些法律实证主义者，如凯尔森，认为价值判断属于纯天然的主观认识。因而，无法客观地纳入法律科学的研究，从而试图取消法律研究中的任何价值判断因素。但是，如果价值判断，如道德因素，正像一般承认的那样，构成了法律产生与发展环境的必然特征，那么，就很难看出此种排斥态度具有什么正当性。因为，不仅存在科学上的凌乱，价值评价几乎也不可避免，而且，进入法律的价值评断，诸如何为正义的规则或者裁决这类考虑，虽然在绝对真理的意义上不是"客观的"，然而，即便如此，在对社会既有的道德标准做出回应的意义上，却是相对真实的。

从丹尼斯·劳埃德的论述中，我们可以清楚地看到，法律的价值在科学研究中的重要性。就上市公司退市而言，本书认为存在两大法律的价值，即是上市公司的秩序价值和正义价值。

（一）上市公司退市的秩序价值

法律的首要任务就是确保统治阶级的建立，秩序是其他法律的价值的基础，如继承、自由、平等、效力等也都需要以秩序为基础。因此，秩序是法律的基础价值。但是，秩序本身受到自由、正义的约束，必须合乎人性、符合常理。就上市公司退市的秩序价值，本书认为，主要体现在两个方面：一是保障投资者权益，二是能够有效地促进法律效力。

1. 保障投资者权益

上市公司退市制度的建立，应当注重保护投资者的权益。有秩序的退市制度是保障投资者权益的前提。所以，建立和维护正常的退市秩序是十分重要的。为此，上市公司退市的秩序价值表现如下。

第一，为投资者提供信息披露。

一旦发生上市公司退市事件，投资者的利益必然受到损失。但是，从投资者利益保护角度出发，应当考虑如何让投资者的损失降到最低。资本市场的规律是"投资者风险自负"，但是，退市是上市公司的重大行为，不能简单地看作是上市公司控股股东和高级管理人员的自身的行为，上市公司应当有效地保护中小投资者的权益。任何事物的发展，都离不开有利的环境，上市公司退市能否有效实施，需要投资者的支持；反之，将不能有效地完成退市。因此，退市相关的信息披露是必然条件，投资者根据所披露的信息做出判断，并进行具体操作，将有效地避免投资者的不必要损失。

第二，为投资者建立完善救济途径。

上市公司退市有着多种原因，如果在退市中有隐瞒真相、甚至欺骗投资者的情况，会导致投资者投资出现损失，这种情况，投资者有权获得补偿救济。在救济途径方面，投资者除了通过诉讼途径解决损失方式外，我国应当建立上市公司投资者保护基金制度，并且推动上市公司退市商业保险制度，为投资者提供风险保障。

2. 促进法律效力

法律的效力是社会发展的基本价值目标，就上市公司退市而言，对我国证券市场的繁荣，有着积极的推进作用，而上市公司退市制度同样对我国证券法制度，有着积极促进作用。上市公司退市制度对法律效力的促进主要体现在以下几个方面。

第一，完善退市制度。

建立完善的退市制度将有效地规范证券市场机制，提高市场进入标准及退出标准，有效地发挥市场约束机制，督导公司审慎经营、持续发展、控制风险。因此，建立完善的退市制度，必然促进我国公司制度的规范和完善。

第二，将有效地改变我国传统的企业制度。

我国企业长期在计划经济体制下运行，习惯了"负盈不负亏"，市场风险意识淡薄，建立完善的退市制度，将对传统的国有企业产生极大的冲击，将有效地改变国有企业经营模式。因此，完善退市制度，完善市场约束机制，将有效地规范相关制度。

（二）上市公司退市的正义价值

正义是什么？法律如何维护和促进正义？我们至今没有得出一个完美的答案，该问题也成了法学界一直讨论的论题之一。本书认为，正义首先是法律的基本标准和评价体系，可以成为衡量法律是"良法"抑或"恶法"的标准。同时，正义也极大地推动了法律的进化。就上市公司退市的正义价值而言，具体包括维护法律公平和保障诉讼公平。

1. 维护法律公平

正义只有通过良好的法律才能实现。法在实现正义时，主要表现在把正义原则法律化、制度化，并体现为权利和义务。上市公司退市的正义价值，就是促进和保障投资者的权益，实现法律公平，上市公司的基本原则是保障投资者的合理权益不受侵害。在上市公司退市法律制度方面，我国已经有一些上市公司退市的法律规定，但实践中还很不完善，而且有一些规定已经不适应现实发展的需要。因此，对于上市公司退市制度而言，需要完善其中的不足之处，实现上市公司退市制度化。

2. 保障诉讼公平

上市公司退市往往涉及多方面利益，如投资者涉及因上市公司退市而造成损失的，往往通过协商解决，如果协商解决不了，投资者只有通过诉讼方式解决。但是，投资者选择诉讼方式解决问题有一前提条件，即诉讼成本在可承担的范围之内，如果超过可承担范围，投资者就无其他途径可解决问题。为了解决这一问题，本书有以下建议：

第一，在证券司法实践中引入集体诉讼。引入集体诉讼，就是解决诉讼人数众多，达到节约司法成本和投资者诉讼成本，并实现节约司法公共资源之目的。

第二，在证券司法实践中落实举证责任倒置。在我国司法实践中，虽然投资者取证问题有所改善，但离真正的举证责任倒置原则还有很大的差距，无法实现诉讼公平。

第三，提供审判系统人员的审判和执法水平。定期对司法人员进行培训，提高执法水平和审判效率，避免长期不能结案和无法执行的现象，这将有效地推动证券执法和顺利退市。

第二节 上市公司退市的历史沿革

在世界各国的证券市场发展中，都没有出现过长达数十年无一例上市公司退市这一特殊的现象，为何在我国诞生不久的证券市场上一直以这一种常态存在？是什么样的历史缘由与政策措施导致了这一种状态的出现？我国为何在最初的制度构建上有此规定难以实施？作为一种对证券市场和企业发展影响甚大的制度，上市公司退市制度能否在新修订的《证券法》上更加具体化？在制度设计上，其是否有足够效力的规范性文件作为支撑？我们可以从上市公司退市制度变迁中寻找答案。

为了更为清楚地说明其存在的问题，本节将历史的年轮转向 16 世纪末期，即上市公司退市制度产生、发展和变迁的起点，试图从上市公司退市制度的建立开始，透过错综复杂的历史纠纷、梳理其中的脉络：

(1)世界范围内上市公司退市制度发生了什么样的变化？

(2)是什么原因促使我国上市公司退市制度发生变化？

(3)上市公司退市制度的变迁给我国证券制度带来了什么样的影响？

一、国外上市公司退市制度的历史沿革

上市公司退市法律制度起源于英国，成长于美国。在证券交易市场正式形成的 17 世纪，由于证券投机盛行，1697 年，英国国会颁布了《抑制不正当证券买卖防止投机风潮》的法案，该法案成为证券市场管理制度诞生的显著标志。

美国证券市场在 18 世纪末及 19 世纪得到了迅速的发展，针对实践中出现的股票发行"渗水"现象，国会通过了《克雷顿法案》，并在 1902 年建议所有的公众持有公司公布年度财务报表等重要信息。这一时期的退市法律规定仅散见于《公司法》《破产法》和交易所的规则中，并未形成真正的上市公司退市制度。1934 年，美国出台《证券交易法》，形成系统的证券市场管理制度，也成为其他国家借鉴的样本。鉴于美国证券法律体系对国家证券市场的重要影响，其他国家证券市场也逐渐确立了上市公司退市制度，如德国 1896 年 7 月通过了《证券交易所法》，日本 1948 年制定了《证券交易法》等。

2000 年之后，上市公司退市制度发生了改革，形成了严格的退市标准和程序，主要表现在：一是退市理念已经从"宽出"向"严出"转变；二是随着退市理念的转变，海外创业板市场的退市标准也总体上趋于严格，虽然具体到单个标准时，有些标准降低了，但

同时还增加了诸如公司治理方面的一些新标准；三是退市标准的客观性和退市程序的可操作性趋于增强，退市标准更为具体和数量化。

(一)英国上市公司退市制度的发展进程

英国上市公司退市制度的发展进程大体经历了4个时期，即从没有专门针对上市公司退市监管缺失的"粗放"时期，到以1986年出台的《金融服务法》颁布实施为标志，将上市公司退市作为基本出发点，从而给英国证券(投资)的管理体制带来深刻革命的时期，即着眼于上市公司投资者个人权益法律保护时期和制定法为后盾的自律体制下的投资者权益保护时期，再到以2000年《金融服务与市场法》的颁布为标志，建立了适应现代金融发展的上市公司退市监管体系高度集中的时期。

1.上市公司退市监管缺失的"粗放"时期：1939年以前

这一时期法律的特征表现为从法律调整的对象看，当时的法律主要针对特定的投资活动，或各类特定的投资中介机构；从法律调整的目的看，大部分立法不是直接为了管理投资市场和保护投资者利益，而是直接为了调整公司及其他经营机构的创立和经营活动。虽然该时期的法律在客观效果上对投资者具有一定的保护作用，但显而易见，这种保护的力度是不够的。

(1)证券经纪人许可证管理

对投资业实行控制的最早立法尝试，可追溯到1697年的一项适用于管理伦敦城从事政府证券经营业务经纪人的法令。根据此项法令，经纪人必须从伦敦城高级市政官法庭(The Court of Aldermen of the City)处获取有效期一年的从业许可证，并发誓在交易过程中，恪守诚实信用原则，不得有任何欺诈。否则，任何知情人均可对其提起诉讼，并可获利罚金的一半。这一法令于1707年失效。

(2)《公司法》中规定的信息披露条款

证券经纪人许可证法令失效后，英国一直没有颁布适用面较宽的法律来调整投资活动。直到1844年，国会才通过《1844年股份公司法》。该法及其后1900年的《公司法》对公司发起设立到股东权益的规定，在客观上起到了保护投资者利益的效果。根据《1844年股份公司法》，发布招股章程以募集股本成为公司创设中不可缺少的一环。但令人遗憾的是，该法对招股章程的内容未做任何要求，之后的《1856年股份公司法》、1862年《公司法》对公司为筹措股本而发布招股章程只字未提，1867年修订的《公司法》也只是做了简单规定，除非招股章程披露发起人或董事与拟设立的公司谈妥的合约或为拟设公司谈妥的合约，否则，发起人不得发布招股章程。发布的招股章程如对上述合约未做披露，则被视为欺诈行为。

直到1900年，法律才第一次要求有关人员在发布招股章程时，必须向公司注册处递交经董事会签署的招股章程，且招股章程应记载13项基本信息，以便让认购人正确判断有关股票的质量与投资价值。此后，信息披露成为英国保护股东(投资者)权益重要的哲学基础。1900年以来的《公司法》不仅要求公司在招股章程中披露相关信息外，还要求向其股东或债券持有人披露其他相关信息，从而扩大了公司披露信息的范围。同时，《公法》还规定要在证券发行后定期披露信息。为了寻求对广大股东(投资者)权益的保护,此后的《公司法》不仅规定了披露大量信息的义务,而且还要求公司董事会做出的某些与公司董事利益相关的重大决策必须得到股东大会决议的认可,包括为退休的董事提供离职补偿,与公司董事或同该董事相关的人员签订获取或处理大量资产的协议,与某人签订雇佣其充任公司董事或其他身份任期超过 5 年的协议,以及公司从其董事手中或其他任何人手中回购其自身的股票等。另外,《公司法》还借助于其他方式来保护股东(投资者)的权益,如 1862 年《公司法》颁布以来,英国政府贸易局(现为工业与贸易部)有权就持有一家公司发行在外股份 20%的股东的申请,任命检察官对该公司的事务进行调查。

需要说明的是,上述《公司法》中有关上市公司退市投资者保护的规定不是针对个别股东(投资者)的,而是将所有股东共同权益作为一个整体来保护,具有"集体性"(collective character)。这意味着权益受到《公司法》规定保护的股东,如采取措施或提起法律诉讼以主张这些受保护权力和利益,这是在代表公司所有股东或某一特定类别的所有股东行使,而非只在维护其个人的权益。若法庭判决给予某种救济,则以他为代表的所有股东都从该救济中受益。所以,此时《公司法》中有关保护股东(投资者)的规定,不是着眼于保护股东个体,而是从整体上保护股东的权益。直到 1939 年《防止欺诈(投资)法》的公布实施,这一状况才得以改变。

由上可见,英国这一时期的法律,对投资者的保护是粗放式的,主要通过规范特定的投资活动和投资中介机构,间接地保护投资者合法权益(例如《公司法》虽没有具体表明要保护投资者权益,但从其对公司设立的程序和信息披露要求来看,也起到了保护投资者权益的效果)。此外,该时期对投资者权益的保护,主要着眼于投资者整体,带有"集体性"的特点,对个体投资者个人权益的保护,在法律上尚未引起人们重视。

2. 着眼于上市公司退市投资者个人权益法律保护时期:1939—1986 年

1939 年颁布、1944 年生效的《防止欺诈(投资)法》(以下简称 1939 年法)是英国历史上第一个着眼于保护投资者个人权益的法律。该法对单位信托和股份兜售行为做了不同的规定。

首先,对投资公开说明书的散发予以一般性禁止。单立信托的经理人欲公布投资公开说明书以吸引广大投资者认购信托的单位,必须向贸易局(现为工贸国务大臣)申请授权,从而获得上述一般性禁止的豁免。当然,一项信托计划即使具备法定要求也并不必然获得贸易局的授权,因为即使该信托计划满足了所有条件,如果贸易局认为某些特征使得授权不合适,则其仍有权拒绝授权。

其次,对股份兜售行为做了风格完全不同的规定,旨在采取预防性措施,防止不法之徒利用欺诈、掩人耳目的手法诱惑他人认购或购买投资工具,使投资者蒙受损失。从 1939 年法调整的范围看,该法对"证券交易"做了明确规定,并采用了一套对从事证券交易的个人、商号和公司实行许可证管理的系统,规定任何人(包括公司)从事证券的交易经营受到一般性禁止,除非他持有贸易部颁发的本人(委托人)许可证(principal's license)。如其仅以雇员的身份或委托人许可证持有人的代理人身份从事证券交易经营,则必须持有代表人许可证(representative's license)。

为了调整和有效约束许可证持有人的证券经营行为，1939年法还授予贸易部制定证券从业行为准则的权力，持证交易商若违反贸易部依法制定的准则，后者即据此吊销前者的许可证。申请人或持证人没有许可证便不能从事证券业，违者即构成"重大违法行为"。1939年法基于预防的思路进行立法，对于构成"重大违法行为"的行为规定了相应的刑事责任。有以下两种"重大违法行为"情况：

第一，任何人故意或轻率地做出其明知系属误导性、虚假或欺诈性的事实陈述、许诺（如许诺投资带来的收益）或预测（如预测某些事件将发生）或可能发生或欺诈性地掩盖重大事实，以此引诱他人签订或要约签订旨在认购、承销、获取或处理公司股份或公司债券，或英国或外国政府借贷证券，或以此引诱他人签订旨在从证券收益中或证券价值的波动中为任何当事方谋利的合约均属"重大违法行为"。

第二，公开说明书邀请或提供有关信息以引诱任何人签订一项旨在获得、处理或承销股份或债券，或英国或外国政府证券或证券利益或证券契约，或引诱任何人参加一项分享证券收益利润或证券价值波动利润的投资计划，如果任何人散发公开说明书或为散发目的而拥有此类公开说明书，便构成"重大违法行为"。对于上述"重大违法行为"行为，最高可处7年监禁。1947年和1948年的《公司法》对1989法进行了一系列修正，英国会将这些修正案与1939法合并形成了1958年《防止欺诈（投资）法》（简称1958年法）。这一法律直到1988年4月29日《金融服务法》完全生效时才被废止。1958年法制定两年后，贸易部又发布了一套新的证券从业人员的行为准则，扩充了持证证券商行为过程中披露的信息量。

1983年，《证券商（许可证）条例》发布，对证券商从业许可证颁发程序做了新的规定，同时还发布了新证券从业行为准则，并在以下方面提出了更高的要求，体现了上市公司退市的监管理念：（1）持证证券商应对客户的资金和证券实行严格的分离；（2）证券商与客户间签订自由裁量（discretionary）和非自由裁量（non-discretionary）的投资管理协议；（3）持证证券商不得为自身利益成为第三方，与此类顾客进行证券交易；（4）持证证券商若在其与客户从事的某项交易或为客户从事的某项交易中具有重大利害关系，必须向客户进行披露；（5）持证证券商为获取或处理证券而作的书面要约内容；（6）当持证证券商未经邀请而访问他人以讨论拟议中的证券交易时，该持证证券商负有以书面形式向他人提供特定信息的法定义务；（7）持证证券商向他人提出证券销售要约时，必须提供足够的、合理的信息，以便使后者能正确地判断是否接受该项要约或进行某项证券交易；（8）持证证券商向他人推荐一项证券交易，后者可能依该持证证券商的建议行事时，如该持证证券商对于该项被推荐的交易具有重大利益，则必须予以披露；（9）持证证券商有义务注意其推荐的交易应适合于其所推荐的对象。当然，1983年的新准则也有比原先放宽的内容，这就是持证证券商第一次获准同其客户或为其客户从事证券的期权、期货交易和保证金交易，而不必同时在认可的证券交易所拥有（从事）一笔相对应的或补充性的交易，但持证证券商在进行此类交易前，有义务提醒客户此类交易伴随的风险，同时，即使此类交易在认可的证券交易所有相应的交易予以支持，持证证券商仍被禁止从事升市交易和跌市交易。

需要说明的是，从上市公司退市投资者权益保护的角度看，由于1939年和1958年的两部《防止欺诈（投资）法》，以及贸易部依据这两部法律制定的准则和条例仅适用于活跃于投资市场的持证证券商，而持证证券商在整个证券发行和交易的总量中只占很少一部分，所以，上述法律及准则对广大投资者利益保护的程度均是有限的。进一步地，由于证券从业行为准则本身主要来源于证券交易所和认可的证券商协会的规则，这为职业证券商提供了一套最基本的行为准则，从而对投资者个人的利益提供了相当程度的实际保护。

20世纪60年代末至80年代初，证券市场的参与者和中介日益增多，工商业公司收购事件常常遭到目标公司管理层的抵制或招致竞争性收购递价，同时，人们普遍认为在通货膨胀的宏观经济环境下，证券市场的功能在于加快扩大资本增值（capital gains）而非激励长期股资。上述大气候必然对适用范围狭窄的《防止欺诈（投资）法》形成严峻挑战，迫切需要一个适用范围更广且符合投资者利益保护的新的法律体系和管理体系。

3. 制定法为后盾的自律体制下的投资者权益保护时期：1986—2000年

直到1986年，英国才有了一部综合性的对投资业（包括投资工具创新、销售和交易）进行全面管理和全面保护投资者利益的法律，即《金融服务法》。该法颁布以前，英国政府对证券市场直接管理、干预较少，证券交易所、公司收购与兼并委员会、证券业理事会等自律组织是英国证券市场重要的监管力量。这种自律管理体制虽然具有许多优点，如它为充分的投资保护与竞争、创新的市场相结合提供了最大的可能性，它让证券交易商参与制订与执行证券市场管理规则，这样的市场管理将更有效；证券交易商对现场发生的违法行为，能够做出迅速而有效的反应等，但从投资者利益保护方面来说，这种自律管理模式通常把管理的重点放在市场的有效运转和保护证券交易所等自律组织会员的利益上，自律管理者的这种非超脱性难以保证管理的公正性，同时，由于没有国家强制力做后盾，自律管理手段较软弱，而且由于缺乏全国统一的证券监管权威机构，也难以实现全国证券市场的协调发展，其结果是，上市公司退市投资者权益得不到充分有效的保障。

基于上述背景，1984年1月发布的"高尔报告"提出了证券投资管理实行以制定法为后盾的自律体制（statuete-backed self-regulation），同时接受政府管理监督的构想。之后，英国政府成立了一个顾问小组，并于1985年1月发表了题为《金融服务投资者保护新框架》的白皮书，成为1986年《金融服务法》调整投资业新框架的基础。1986年《金融服务法》改变了英国传统的自律管理模式，建立了自律管理与立法监管相结合的自律管理模式。根据该法，以建立被授予对金融体系全权监督的权威和权力，财政部将法定权力和监管责任授予证券和投资委员会（SIB），SIB又将责任赋予不同的自律管理组织来执行，SIB的管理通过不同的自律管理组织来执行，如证券和期货局（SFA）、投资监管局（IMRO）和私人投资监管局（PLA）等。

另外，1986年《金融服务法》奠定了新的管理框架，对未经授权的行为规定了刑事和民事制裁。同时，新框架还规定了豁免权，但十分有限，因为只有认可的投资交易所和为其提供清算服务的经认可的清算所可以享受授权豁免。另外，该法还对国务大臣制定条例和规则的权力做了规定。条例和规则不是一般的仅供参考的行为准则，而是国家法律的一个组成部分，是以国家的惩戒权(disciplinary powers)为后盾的法律规范。

为了在实际操作中能够真正维护投资者利益，英国认为有必要对投资业的运行进行适当干预。为此，《金融服务法》规定了一系列的干预权，管理机构根据干预权可以限制证券商的经营或资产往来，或将特定资产交由受托人托管，或要求在英国境内保持特定资产，管理机构还可以基于干预权申请清算某管理对象或指定清算管理人(administrator)。为了排除管理人员对各种不利诉讼的担忧，该法还规定了主要监管机构或人员依法享受损害赔偿责任的豁免。该法同时还规定，管理人员行使惩戒权和干预权，相对人如不服，可提请专门设立的、独立于管理机构或人员的金融服务法庭重新审议，做出最终裁决。这一机制既对监管机构或人员形成激励和约束，时也有利于保护投资者权益，从而使英国上市公司退市权益逐步走上法治化和规范化渠道。

4. 上市公司退市监管体系的高度集中时期：2000 年后

在 1986 年《金融服务法》确立的监管体制中，一方面，财政部对监管行为负首要责任，财政部可收回或撤销其对 SIB 的授权；但另一方面，对金融业实施分业监管，英格兰银行、证券与投资委员、私人投资监管局、投资监管局、证券与期货局、房屋协会委员等监管机构或组织分别行使对银行业、保险业、证券投资业、房屋协会等机构的监管职能。

金融混业经营的发展使得金融机构之间的业务界限越来越模糊，也使得分散于不同监管机构或组织之间的监管职能难以准确实施，人们对不同监管实体监管职能的清晰性和监管机构对不同业务活动的公正和有效管理能力产生疑问。这种监管格局，使得一个金融机构同时受几个监管机构的"混合监管"，既降低了监管的效率，又增加了监管的成本。为此，英国议会于 2000 年通过《金融服务与市场法》，对英国金融监管体制进行重大变革。依据该法所创设的"金融服务局"(FSA)取代了原先的证券与投资委员会，并继承了三个自律组织(SROs)及九个被承认的职业团体(RPBs)的一系列管理职能；同时，它还取得了英国中央银行英格兰银行对银行业的监管职能，以及财政部对保险业的监管职能。对上市公司的审核责任也从伦敦证券交易所转到 FSA。FSA 除接手原有各金融监管机构的职能以外，还负责过去某些不受监管的领域，如金融机构与客户合同中的不公平条款，金融市场行业准则，为金融业提供服务的律师与会计师事务所等的监管。自此，FSA 成为英国唯一的、独立的、对英国金融业实行全面监管的执法机构，有权制定金融监管规则、颁布与实施金融行业准则、对被监管对象进行调查和处罚等。

为确保 FSA 能够正确地行使法律所赋予的权力，全面履行其监管职责，防止其滥用权力，将上市公司退市落到实处，英国还建立了对金融监管者的制衡机制。(1)财政部有权指定或撤销 FSA 董事会成员及其主席的人选，在涉及公共利益的情况下，财政部有权决定是否对 FSA 的行为发起调查，同时，有权对 FSA 的运作每隔一段时间进行调查并发布独立的审查报告，并将此交给议会。(2)内部监督机制。FSA 建立了类似公司治理机制的制约机制，一是 FSA 董事会成员中的大部分必须为非执行董事，FSA 建立一个完全由非执行董事组成的委员会并赋予其金融检查的权力，类似于上市公司中的非执行董事所行使的监督权。二是 FSA 必须举行年度公开会议以讨论其"年度报告"。(3)对 FSA 的司法审查机制，法院可以依法做出撤销 FSA 的决定的裁决。这将有效促使 FSA 认真依法进行监管，提高英国金融监管的法治水平。

在 FSA 的监理目标中，除了维护投资人对英国金融市场的信心和降低金融犯罪外，客户服务及保护也是其重要目标之一。依照该法规定，FSA 就加强投资人对英国金融制度认知，建立客户保护的适当措施。有关加强投资人认识方面，该法要求 FSA 应致力于：(1)提供资讯。主要做法是使投资人得以透过咨询单位、公共图书馆、国会议员办公室及网络等渠道得到 FSA 的信息。(2)客户协助。即提供客户金融产品相关资讯及建议。(3)设立客户服务专线。负责处理客户各种需求。(4)推广个人金融教育。(5)从 2001 年 10 月起提供线上金融商品比较表。使投资人得以取得正确的金融商品资讯，以作为投资的依据。

(二)美国上市公司退市的法制进程

美国上市公司退市投资者保护法制进程大体可分为以下几个阶段：一是 1933 年以前，以各州"蓝天法"的制定和实施为标志，以自律监管为主导，没有全国统一的专门针对上市公司退市投资者保护法律的时期；二是 20 世纪 30 年代至 60 年代，以上市公司退市投资者保护为出发点，以披露哲学为基础，以 1933 年《证券法》、1934 年《证券交易法》、1939 年《信托契约法》和 1940 年《投资公司法》等法律的颁布和实施为标志，形成有关证券欺诈和内幕交易的上市公司退市法律体系的时期；三是 20 世纪 70 年代至 90 年代，以 1970 年《证券投资者保护法》、1984 年《内部交易制裁法(ITSA)》、1988 年《内部交易与证券欺诈实施法》、1990 年《证券实施补救与美分股票改革法》和《市场改革法》等法律的颁布和实施为标志，针对内幕交易和证券欺诈等行为对证券投资者利益保护进行专门立法的时期；四是 2000 年至今，以 2002 年《公众公司会计改革与投资者保护法》(简称"索克斯法案")为标志，加大公司高管和会计从业人员责任的时期。

1. 没有全国统一的专门针对上市公司退市投资者保护法律的时期：1933 年以前

美国金融业的发展远远晚于英国。在其发展过程中，欺诈的事例时有发生，同时，美国公司企业发展过程中也出现了与英国早期相似的问题。然而，在 1933 年以前，美国还没有全国性的针对上述问题的专门立法。证券市场管理和投资者保护主要靠各州的立法管理。1911 年，得克萨斯州制定了美国第一部带有强迫实施手段(处罚手段)的关于证券发行管理的"蓝天法"，规定证券发行活动和证券推销员必须登记注册，所有证券未经许可不得出售，证券发行人必须公布资产、财务报告，并接受银行专员检查，否则要负刑事责任。其后，许多州纷纷仿效，制定了宽严不等的类似"蓝天法"的证券市场法律，一般分以下四类或四类混合物：第一类是以纽约州的《马丁法》为代表的"防止欺诈型"，该法授权州检察长用调查、禁令、刑事追诉等手段来抑制证券买卖中的不法行为；第二类是主要针对证券商、其他代理人及投资顾问的登记进行规范的"登记券商型"；第三类是强调证券注册登记和信息资料公开的"注重公开型"；第四类是根据公开与公正原则利用多种方法实行实质管理的"注重实质管理型"。

虽然如此，但由于各自为政、管理范围和执法资源有限，加之法律内容很不统一，各州的"蓝天法"并不能有效遏制和打击证券市场上的欺诈、操纵和投机等不法行为。到1929年前，美国证券市场投机和欺诈行为盛行，内幕交易和误导信息泛滥。1929年大危机和随之而来的大萧条使人们越来越认识到制定全国统一的《证券法》的重要性，由此推动了1933年《证券法》的诞生，从而开始了以投资者权益保护为出发点的全国统一立法时期。

2. 以上市公司退市投资者保护为出发点的上市公司退市法律体系的时期：20世纪30年代至60年代

以1933年《证券法》为标志，美国开始了投资者保护的法制进程。之后，围绕投资者利益保护，美国制定了1934年《证券交易法》，1935年《公共事业持股公司法》、1939年《信托契约法》、1940《投资公司法》和《投资顾问法》、1964年《证券法修正案》和1968年《威廉姆斯法》。总结这一阶段关于投资者保护的法律体系，可以看出美国主要从以下几个方面加强了对投资者的保护。

（1）以信息披露为基本内容的投资者保护法律

受到英国证券信息披露制度的影响，美国国会通过了以信息披露要求为内容的1933年《证券法》和1934年《证券交易法》及其他法律，其核心目标都是保护投资者利益和防止欺诈行为。但二者侧重点不同。针对证券发行市场，规定除《证券法》规定的"豁免登记证券"及SEC根据具体情况予以个别豁免的证券发行以外，任何证券的公开发行都必须向SEC登记，在提交的登记声明中必须披露以下方面的信息：①发行人的财产和业务状况；②欲发行证券的主要条款及其与发行人其他资本证券的关系；③发行人的管理状况；④经独立的公共会计师审计过的财务声明。为了给予投资者相对充分的时间来了解登记声明所披露的信息，避免其做出草率的投资决定，《证券法》做了三个阶段的制度安排，即提交登记声明前，发行人不得销售证券，也不得发出要约；在提交登记声明到登记生效的等待期内，发行人可以发出要约，但不得销售证券；只有在登记生效后才能实际销售证券。

1934《证券交易法》主要针对二级市场，只适用于其证券在全国性证券交易所（纽约证券交易所和美国证券交易所）上市交易的公司，要求这些公司必须向证券交易所和SEC进行登记而成为所谓的"报告公司"（reporting company），承担披露和报告义务。1964年的修正案将其范围扩大到从事柜台交易的公司，要求凡是总资产在1 000万美元以上且股东人数在500人以上的公司以及依据《证券法》进行过登记发行的公司，都必须成为报告公司。这样，在联邦证券法下公众公司实际上负有双重的信息披露义务，一是它们必须定期披露经营管理状况和向SEC提交财务报表，二是当他们要发行新证券时，还必须向SEC提交登记声明，重复与公司有关的一般信息并披露与发行有关的具体信息。

此外，为了保护投资者利益，《证券交易法》还对股东买卖本公司股票以及公司收购行为的信息披露进行了规定。根据第13d条款，任何人在获得按第12条登记或某些其他发行者发行的某一级股份证券超过5%的受益所有权后，需按第13d条款规定的表格要求填表，并在10日内送交美国证监会、证券交易所和该公司备案，之后，如该股东买进或卖出每1%以上的该公司股票或改变其购股意图，均应及时向上述机构补充备案，并迅速将这些信息发布出去。第14d条款则提出对发出收购要约一次性收购一个上市公司的程序和要求，并要求及时披露诸如收购股票的数量、价格、要约有效期、付款方式、收购人的财务状况等收购要约的内容。

（2）内幕交易和禁止证券欺诈的立法进程

①关于内幕交易的立法进程

20世纪30年代以前，美国主要以普通法处理内幕交易案件，知情人只有在其与交易方之间存在受托人信任和信任信托关系而做出重大误述的情况下才承担普通法上的责任，1933年《证券法》关于证券欺诈的规定中对内幕交易已有所涉及，但内幕交易被明确宣布为非法，是从1942年美国证监会规则10b-5内幕交易开始的。这一期间，美国证券法关于内幕交易的规定主要包括：

● 普通法上关于董事、大股东等公司内部人员购买本公司股票的规定；

● 1933年《证券法》第17a、1934年《证券交易法》第10节b项和c项以及美国证券交易委员会规则10b-5等禁止利用公司内幕消息的规定；

● 1934年《证券交易法》第16条关于持股变动申报和内部人员短线交易买卖利益归公司的规定，SEC在《证券交易法》第14e条款的基础上，为进一步规制公司收购中的内幕交易行为，制定了条款14e-3。

②禁止证券欺诈的立法进程

1933年《证券法》是美国禁止证券欺诈法律制度的开端，法律中的第17条提出了关于卖方欺诈行为的一般性反欺诈条款。与邮政欺诈法相比，此条法律规定的进步性体现在：

● 它仅适用于证券范围；

● 它提供了民事禁令的救济，从而可将某些形态的欺诈消灭在萌芽状态，而非等到在行为完成后仅依靠刑事制裁来处理；

● 没有直接表述为"欺诈"，而是使用了重大虚假陈述和只有部分真实性的欺人的陈述这样的措辞，但整个规定针对的是"发行或销售证券"中的欺诈或虚假陈述。

1934年《证券交易法》主要针对二级市场，其目的是对已经在证交所上市并已公开买卖的证券进行监督管理，保证一般投资者获得证券交易的充分信息，防止公司董事或高级职员的不正当行为。它增加了第9a和第10b两个相关反欺诈条款。前者规制的市场操纵行为，规定"任何自营商、经纪商或其他人以引诱他人买进或卖出证券为目的，在卖出或要约卖出或要约买进证券时，就重大事实做出虚构的（fake）、伪造的（false）或误导性（misleading）陈述，并且他们知道或有合理理由相信其陈述是虚假的或误导性的"。这一条款可独立适用，并仅限于注册证券。第10b条款是一个总括性规定，没有什么限制，但它不能独立适用。其最辉煌的成果是由此引申而来的10b-5条款。但多年来，人们对其并没有给予正确评价。

此外，SEC还根据这一条款制定出一大批法规。1936年《证券交易法》修订时以1933年《证券法》17a的第（2）和第（3）项为蓝本，增加了15c-1条款。与10b相比，这一条款第一部分的规定从字面看是独立适用的，但10b在没有特别规定的情形下不能适用；其次，它仅限于柜台交易，而 10b 并非如此；再次，它限于经纪商和自营商进行的证券交易，而 10b 规范买进或卖出证券时的所有欺诈行为。1938 年，作为《柠檬法案》（又译为《马罗尼法》或《威廉姆斯法》）的一部分，国会制定了现在的 15c-2。其与 15c-1 类似，但也有以下不同之处：一是它不适用于"豁免证券"；二是它包括"捏造的行情"（fictitious quotations）和欺诈、欺骗及操纵行为；三是它要求 SEC 制定规则，规定设计合理的方法，除了能清楚界定欺诈行为和虚假行情外，更要阻止其发生。

为了防止在收购的信息公开中的欺诈行为，《证券交易法》第 14e 条款做了特别规定，规定下列行为是违法的：对重要的事实做任何的不实陈述；在公开的信息中省略那些为了不引起人们的误解而必须公开的事实；在公司收购中的任何欺诈，从而使人误解的行为和任何操纵行为。同时授权给 SEC 制定法规，定义或指令各种形式来防止这些行为的发生。

除了规定证券买进或卖出的这些条款或规则外，还有关于投资顾问、征求委托权、收购请求权等的规则。1940 年《投资公司法》第 17j 条款以《证券交易法》15c-2 为蓝本，授权 SEC"界定并规定设计合理的方法以阻止与投资有特殊关系的人进行与他们持有的证券有关的欺诈、欺骗或操纵行为"，就投资顾问而言，1940 年的《投资顾问法》根据《证券交易法》15c-2 的规定，增加了立法权。条款 14a-9 是有关委托书欺诈的，条款 14c-6 适用于信息陈述时的欺诈，1934 年《证券交易法》第 13e 和 14e 条款涉及公开收购和发行人的买进。

（3）保护投资者的法律责任制度

为了使投资者利益得到真正保护，法律明示了当事人的诉权或为私人提供了许多默示的要求赔偿的法律条文。1933 年《证券法》和 1934 年《证券交易法》确立了美国的证券民事赔偿责任和刑事责任制度。

1933 年《证券法》有关证券欺诈行为及其董事责任的规定主要包括：针对信息披露不实的情况，《证券法》第 11 节规定，当登记文件中对重大情况有错误陈述或隐瞒的时候，证券购买者有权起诉，除非能够证明购买者购买证券时已经知道存在错误陈述或隐瞒，任何获得这种证券的人均可向证券发行人、董事或履行类似职能的人、会计师及证券承销商提起诉讼，并要求赔偿。第 12 节规定了证券销售人员重大错误陈述与隐瞒重大情况的法律责任，并且将举证责任赋予买方，且买方只需证明招股说明书具有误导性即可。第 15 节规定了控制人责任，即有能力控制那些依照规定负有责任的任何人也应负有共同和连带责任。关于反证券欺诈方面第 17 节规定了一般性的欺诈条款，即实质性的虚假陈述可导致刑事责任和民事责任。

1934 年《证券交易法》规定的证券欺诈行为及其民事责任主要包括：第 9、第 10b 和 15c 规定，故意参与操纵证券价格行为或交易的任何人，应对受该行为或交易影响的价格购买或出售证券的个人负有法律责任，受到损失的个人可向任何具有足够权限的法院起诉或提出权益要求，以补偿其损失。责任人可要求那些如果参与该诉讼也有责任支付赔偿的人分担。美国《证券交易法》第 16 条款规定，受益所有人、董事或高级职员对其所持有的本公司股票（豁免证券除外）短线交易的利益必须归还公司。第 18 条规定，在向 SEC

提交的申请登记表中有错误或误导性陈述的，做出或被要求做出陈述的人员，应对依据该陈述影响的价格来买卖该证券的人员引起的损害承担责任。被告可依原告在买卖该证券之前对此种情况已知为抗辩。

（4）美国企业兼并的立法进程

企业兼并直接或间接涉及投资者利益，所以如何对企业兼并进行法律规制是投资者利益保护的重要内容。联邦政府于1890年通过的《谢尔曼反托拉斯法》构成了美国反托拉斯法的基础。1914年，国会通过《联邦贸易委员会法》，其目的是防止"商业中的不公平竞争和不公正的欺诈性行为"。1936年，国会通过了《罗宾逊-帕特曼法》，以反对价格歧视。为了堵住《克莱顿法》关于在购买会大大削弱或导致垄断时仍允许大公司购买竞争者的资产的这一漏洞，1950年，国会又通过了《塞勒·凯弗维尔法》，规定如果任何公司购买别的公司的股票或资产，有可能导致竞争的大大削弱或产生垄断的话，则这种购买就被禁止，为了便于执行反托拉斯法，从1968年开始，美国司法部先后于1968、1982和1984年颁布了三部兼并准则。此外，在前面提到的《证券法》《证券交易法》《柠檬法》《信托契约法》和《威廉姆斯法》等证券法律以及《公司公用持股公司法》和《美国标准公司法》等法中，都对企业兼并进行了法律规制，以保护投资者利益。其内容包括：①企业兼并中的反垄断原则的规定；②企业兼并批准标准中的规定；③信息公开和报告的法律制度的规定；④反欺诈和内幕交易的规制；⑤关于保护小股东权益和反收购的规制。其中，对小股东权益的保护主要体现在美国判例法对控制股份的转让采用了控制股东对小股东的信托义务原理，要求控制股东在转让股份时，对其他小股东负有注意义务和忠实义务，从而限制控制股东以欺诈、掠夺等行为损害小股东利益，以保护小股东。同时，美国判例法对反收购行为的规制则采用董事的注意义务和"经营判断准则"（business judgment rule）加以规制。

（5）其他有关上市公司退市的法律

一是1935年通过的《公共事业持股公司法》，要求持股公司的体系要一体化和简化，收购证券和公共事业资产的行为和证券发行的条件不得损害公共利益和投资者。二是1938年通过的《坎特勒法》，对1898年的《破产法》进行了全面修订，强化了法院监督破产程序的广泛权力，以保证债权人的利益并兼顾债务人的利益。三是1939年通过的《信托契约法》，明确了债务证券持有人的权利和证券发行主体的义务，并授权SEC审查债务证券的发行。四是1964年《证券法修正案》，将注册登记、财务公开以及其他保护性措施扩大到柜台交易市场上的证券，提高了对证券商及其职员的资格标准，加强了SEC和自我管理机构的自我约束和管理。五是1968年通过的《威廉姆斯法》，扩大了报告制度和公开制度的条款，即凡通过投标或相关方式获得一个公司股权10%以上的控股公司，必须实行报告制度和公开制度，要求在现金标购、交易所拍卖、大规模股权购买业务中实行信息公开，并授权SEC制定规则，管理公司接管过程。

3. 针对内幕交易和证券欺诈等行为对证券投资者利益保护进行专门立法的时期：20世纪70年代至90年代

20世纪60年代末期，由于Paperwork Crunch事件的影响，致使众多证券商发生财务困难。虽然证券公司普遍提取风险准备金，但一旦发生破产，其清算财产往往不足以支付投资者的保证金，从而极大地损害了投资者权益。有鉴于此，美国国会于 1970 年通过了《证券投资者保护法》，并基于这一法律，成立了证券投资者赔偿基金，由证券投资者保护公司（SIPC）进行管理，为券商客户提供保险保护。这一证券投资者赔偿机制的建立，弥补了《证券交易法》对投资者实施保护的不足。

1983 年，SEC 向国会提出立法建议禁止内幕交易，1984 年国会通过了针对内幕交易的《内幕交易人士制裁法》，授权 SEC 对于内幕人士交易者可按牟利金额的 3 倍处以民事制裁，并增加了刑事处罚的期限。1988 年，鉴于证券市场内幕人士交易与各种非法行为接连不断，又制定了《内幕交易人士交易与证券欺诈实施法》，对违法进行内幕交易的自然人可判处 5～10 年有期徒刑，并处 100 万美元以下罚金，对非自然人（如公司、银行等），可判处 150 万美元罚金，对其负责人可同时给予 100 万美元以下或 3 倍于其受益金额的罚款。

1987 年和 1989 年，证券市场大跌，国会于 1990 年又通过《证券实施补救与股票改革法》，对违反联邦证券法的行为设立新的司法和行政补救制裁措施，并授予 SEC 以新的管理与执行权力，管理美分股票市场。同年，又通过《1990 年市场改革法》，授权 SEC 颁布限制程序交易规则，以便防止操纵股票市场或股票市场主体部分价格水平，禁止或限制"股市非正常波动"，以保证市场的公正和有效，同时还授权 SEC 在紧急情况下关闭任何证券交易所或对组织暂停实施、变更或施加某些规则的权力。另外，还授权 SEC 颁布规则建立"大户交易人报告制度"。

与 20 世纪 70 年代以前不同，1970 年到 1990 年这一时期美国通过的旨在保护投资者的各项证券法律，从总体上看，对投资者的保护趋于加强，表现为：一是立法更具有针对性；二是通过对原有的《证券法》或《证券交易法》进行重大修正使其适应变化了的环境；三是在法律责任上对违法者的惩罚更为严厉；四是在法律上提出了能够切实保护投资者利益的具体举措。

因此，上述法律在实施过程中出现了投资者滥用证券诉讼权利的现象。针对这一问题，1995 年国会通过《私人证券诉讼改革法案》（PSLRA），以"保护投资者、证券发行人以及所有与资本市场相关的人员免于陷入没有意义的证券诉讼"。由此看出，这一时期的法律在对投资者保护制定更为具体和严厉的法律规定外，也考虑到证券发行人以及所有与资本市场相关人员的利益，从而将投资有法律保护放到如何与其他利益相关主体协调的背景下，更合理和有效地使用法律资源。

4. 加大公司高管和会计从业人员责任的时期：2000 年后

进入 21 世纪后，美国上市公司会计造假丑闻不断发生，美国本土市场陷入投资者信心危机。为了保护投资者利益，恢复投资信心，2002 年 7 月出台了《2002 年公众公司会计改革和投资者保护法》（又称 Sarbanes-Oxley 法案，简称大法案）。这是自 20 世纪 30 年代罗斯福政府以来，美国在商业行为规范方面所进行的最具深远影响的一项立法。该法案对上市公司财务信息披露质量和中介机构监管进行了更多的强化规定，以进一步从充分信息披露角度加强对投资者的权益保护。

最后修订完稿的 SOX 法案共分为 11 章，第 1 章至第 6 章主要涉及对会计职业及公共行为的监管，既建立一个独立的非营利性的公司法人组织——"公众公司会计监督管理委员会"（Public Company Accounting Oversight Board，PCAOB），对上市公司审计进行监管；通过负责合伙人轮换制度以及咨询与审计服务不兼容等提高审计的独立性；对公司高管人员的行为进行限定，改善公司治理结构等，增进公司的报告责任；加强财务报告的披露；通过增加拨款和雇员等来提高 SEC 的执法能力。第 8 章至第 11 章主要是提高对公司高管及白领"重大违法行为"的刑事责任，比如，针对安达信销毁安然审计档案事件，专门制订相关法律，规定了销毁审计档案最高可判 10 年监禁、在联邦调查及破产事件中销毁档案最高可判 20 年监禁；为强化公司高管层对财务报告的责任，要求公司高管对财务报告的真实性宣誓，并就提供不实财务报告分别设定了 10 年或 20 年的刑事责任。上述法律规定从源头上进一步防范了对投资者利益的损害。

(三) 日本上市公司退市制度发展进程

日本上市公司退市制度发展进程，从大的历史跨度来讲，大致可以分为三个阶段：第一阶段，第二次世界大战（二战）前经济起步与证券市场初创时期，这一阶段的证券法律制度遵循英国模式，证券市场立法很不完善；第二阶段，二战后经济起飞、繁荣与证券市场的大发展时期，这一阶段的证券法律制度遵循美国模式，是有关投资者保护的法律制度逐步建立健全、走向成熟的时期；第三阶段，从泡沫经济破灭至今，是证券市场法律制度在新的经济条件下与时俱进、进一步完善的时期。

1. 投资者保护制度不健全的经济起步时期：1945 年以前

日本经济起步时期的证券市场法律制度是以英国的证券模式为蓝本制定的。总的来说，这一时期证券市场立法很不完善。日本的证券市场始创于明治维新时期。1874 年日本政府效仿伦敦股票交易所制度，制定了《股票交易所条例》，试图建立证券交所。由于这一条例在限制投机方面很有力，并且当时日本的经纪人联合起来反对英国式的垄断经纪商制度，建立第一个证券交易所的努力未获成功。因此，四年后的 1878 年，又颁布了新的《股票交易所条例》来取代旧条例，东京证券交易所成立。1893 年，又颁布了新的《交易所法》，该法进一步促进了证券交易所在日本各地大量涌现。到 1898 年，日本政府决定制止交易所的扩张，并不再批准开设新的证券交易所。与此同时，政府通过规定最低资本额和发布行政指导线的办法，使证券交易所的数目控制在 1914 年底的 10 个。此外，日本政府还采取了相当严格的措施来管制证券交易商，要求他们及时公布正式的证券价格目录和交易数量。

第一次世界大战（一战）结束后，日本经济出现了一系列动乱，如 1920 年的股票市场大崩溃，1922 年的银行业恐慌，1931 年的经济大萧条等。之后，日本又连续对外发动战争。为此，日本政府一方面加紧筹措资金，同时又开始对资金的流向进行管制。1943 年，日本所有的证券交易所都被并入"日本证券交易所"，从而使日本的证券交易所基本上成了一个政府机构。为了给战争提供源源不断的资金，日本政府采取了限制股息以增加资本的政策，公众的投资积极性受到极大的打击，证券市场逐渐陷入瘫痪。到二战结束时，日本的证券市场已完全崩溃。

2. 上市公司退市投资者保护制度逐步健全的经济起飞与繁荣时期：1945 年以后至 20 世纪 80 年代末

二战结束后，日本的证券管理制度在美国证券立法的影响下发生了根本性的变化，逐步形成了以美国证券法为模式，大量引进了发行、流通、信息披露方面的管制，禁止银行等从事证券业务的规范的证券市场制度。

1948 年 4 月，日本制定了以美国《1933 年证券法》和《1934 年证券交易法》为蓝本的新的《证券交易法》，这标志着日本抛弃了英国模式而遵循美国模式。该法后来成了战后日本金融体制的主干，体现了旨在匡正 1929 年大萧条前后证券市场弊端的美国法的精神公正交易和保护投资者。直到当前，日本的证券管理制度仍以 1948 年的《证券交易法》为基础，它全面规范着日本初级证券市场和二级市场的运行。该法自公布后半个世纪里曾先后进行过 40 多次修订。

（1）关于信息披露、禁止内幕交易和市场操纵等不正当交易的规定

证券法的核心是信息披露制度，强制性信息披露是证券市场的根本性制度。为了使投资者获得充分的投资信息，《证券交易法》规定证券发行人承担公开披露以及持续披露的义务，公开披露的内容包括证券申报书、计划书、上市公告等；持续披露的内容包括持股报告书、中期报告书、临时报告书等。此外，对于虚假记载或不完整的信息披露，在追究刑事责任的同时也设置了详细的民事责任。

日本《证券交易法》也规定了禁止内幕交易与市场操纵的条款。第 58 条规定禁止以下"不正当交易"：一是在有价证券买卖及其他交易中采用不正当手段、计划与技巧；二是在有价证券买卖重要事项交易中使用重要事项有虚假表达或减少为防止误解所必要的重要事实的表达的文件或使用其他表示而获取金钱及其他财产；三是以引诱有价证券买卖及其他目的而利用虚假的行情。第 50 条规定了证券公司及其高级职员或雇员所不得从事的劝诱行为及其他有关有价证券买卖及其他交易的不利于保护投资者的行为，或有害公正交易，或使证券业丧失信用的违反大藏省令规定的行为。第 16 条、17 条、19 条、20 条、21 条，对计划书、申请书的虚假记载或重大遗漏等欺诈行为规定了相应的赔偿责任。第 18 条则以不当利益返还请求权，规定了公司内部人员短线交易的归入权，内部短线交易人负有返还不当利益的责任。第 125 条、126 条规定在证券市场上有虚假买卖、操纵市场行为者，应当依照该违法行为形成的价格，对在证券市场上买卖证券或办理委托者所遭受的损失负赔偿责任。此外，还规定公司管理人员、主要股东买卖本公司股票的报告义务以及要求其向公司上缴 6 个月内买卖公司证券（日本法律称为内部人短线交易）的差价。1953 年对该法进行修改时，删除了公司管理人员及主要股东的报告义务，并使上缴短期买卖差价的规定无法操作，致使日本成为内幕交易的天堂，内幕交易的丑闻一再出现。

（2）关于证券交易所、证券公司等特许制度的规定

日本《证券交易法》规定，设立证券交易所须经大藏省特许。特许后经复查不符合条件者可以根据一定理由撤销其特许。大藏省对证券交易所的规章制度有核批权，若认为

不当可令其修改。《证券交易法》第65条规定，禁止金融机构从事股票和债券的认购，股权和债券的认购由证券公司办理。这就为银行和证券业在体制上的分家奠定了基础，使日本的证券业基本脱离间接金融的制约，而完全按照直接金融的规律发展。

1949年5月，日本批准了在东京、大阪、名古屋建立新的证券交易所。财阀在新的形势下被强制解散，大量的股票进入市场，个人股东的比例迅速增大，到1950年，个人持有的股份比例已上升到69%。1951年6月日本制定了《证券投资信托法》，为推动股票大众化发挥了十分重要的作用。这一时期日本在接受美国证券法律制度的基础上进行了较大的改革，证券交易发行相对规范化、投机行为大为减少，证券市场以前所未有的速度显著扩大。1955—1961年，日本证券市场出现了两次引人注目的繁荣热潮。由于证券市场的迅速发展、证券立法管理暴露出诸多不完善的地方，加之股票投资信托的过度增长，加剧了证券市场上的投机氛围，终于导致日本的证券市场在1962—1965年经历了一次前所未有的大危机。为了应对这次危机，日本政府于1965年1月建立了"日本证券保有工会"，并于同年10月修订了《证券交易法》，实行了证券公司的许可证制度以代替原来的注册制度，完善了交易规则。这次修订的内容主要包括以下两个方面。

关于证券公司许可证制度的规定。日本《证券交易法》最初规定，证券公司实行注册制，即只要按规定程序向大藏省注册，就可以成立证券公司，而无须额外的条件。这一制度导致日本证券公司数量剧增，但也同时伴随着证券公司因资金不足和经营管理不善等造成的大量倒闭。为此，日本1950年修改了《证券交易法》，规定成立证券公司必须拥有一定的资本金。但这一规定未能改变证券公司新设和倒闭数量剧增的状况，1948—1964年间注册的证券公司有60%倒闭或注销，这极大地损害了投资者的利益。为了保护投资者的利益，1965年日本《证券交易法》再次修改了有关证券公司设立的条款，实行证券公司设立特许制，规定证券公司的设立必须经有关主管部门特许，并规定了特许获得批准的条件，这些条件主要包括三个方面：一是财产基础和收支前景标准，即申请者是否有从事证券业务所需的足够的财产保证和良好的收支状况前景；二是人员组成标准，即经营者是否具有证券业务知识、经验以及良好的社会信誉；三是地区合理性标准，即根据申请者申请开业的地区的证券交易状况和已有证券公司及营业所数量，决定批准与否。只有这三方面的标准都符合有关规定的申请，才能获得批准。

关于证券公司及其工作人员禁止行为的规定。日本于1965年在《证券交易法》中列出的禁止行为基础上增加了九条具体条款，对违反其中任何一条者，法律规定可处以3年以下有期徒刑或300万日元以下的罚款，大藏大臣还可以做出令其停业6个月的处分或命令证券公司解除其董事长的职务。在这方面主要是根据市场发展的动向而不断增加证券公司及其工作人员禁止性行为的范围。在证券业最不景气的1965年所通过的《证券交易法修正案》，给日本证券管理带来了划时期的转变。美国式的理念认为，证券业本身的自由竞争性保证了证券市场的自由竞争性，有助于保护投资者的利益。但是在日本，因证券业的胡乱经营及经营漏洞，反而损害了投资者的利益。基于这一认识，日本重新建立了特许制，在实施这一制度时，提高了可稳定证券业经营的财务方面的标准，并以此为手段精简了持有执照的公司数目。从事证券业的机构在实施注册登记制时最高曾达到1 127

家(1950 年)，在证券业不景气时减为 511 家(1965 年)，在实施特许制时再减为 277 家 (1968 年)。因中小证券公司自行停业、合并及执照制的实施，证券从业者的平均资金一下子增加了一倍(1965—1970 年)。为防止整个证券行业的突发性危机，不仅在制度上建立了各种损失预备金的法律，而且还设立了相当于银行存款保险机构的委托证券补偿基金(1969 年)。

(3)日本证券市场的国际化进程中上市公司退市投资者保护的规定

1967 年以后，随着日本国际收支的改善，企业经营状况的普遍好转和外国投资者购买日本股票数量的增加，东京证券市场开始了最初的外债发行，日本证券市场开始走向国际化。1970 年，东京证券交易所加入证券交易所国际联盟，日本政府也于 1971 年颁布了一部管理外国证券公司的法规——《外汇和外贸控制法》。在这样的背景下，日本证券发行市场也有了新的变化。证券发行方式在原来已有的根据股票持有人分摊的面额增资发行的基础上，从 1972 年开始，又正式实行了时价增资发行和时价可转换公司债。另外，债券出现了发行单位大型化、发行条件弹性化、发行期间多样化的特点，个人法人团体对债券的消化能力也大大增强了。

从 20 世纪 70 年代中期开始，由于国债的大量发行和金融市场的国际化以及大量的国际收支顺差和日元升值，使日本证券市场获得了新的发展动力。在证券业务方面，随着公债、公司债业务的显著增加，银行方面也要求扩大业务容量。《证券交易法》第 65 条曾对证券和银行业各自的业务范围做过规定。20 世纪 70 年代前半期在海外业务中已出现了互相参与的经营形式，日本 1981 年公布的《银行法修正案》中也批准了银行可出售国债 (银行对证券业务的参与)，1983 年实行了在营业窗口销售长期国债和中期国债、拆息国债，1984 年实行了以国债、政府担保债、地方债为对象的交易；另一方面，根据 1980 年的新外汇法扩大了证券经营的范围，证券业者可参与银行业务。此外，新外汇法还将对外资本交易的原则上禁止改为原则上自由，这样差不多就完全打开了内外证券投资相互交流的通道。制度上明确规定的制约几乎都已取消，日本在证券的发行、流通的同时，已成了可根据国内外的利率差、国际收支的情况来做出判断，从而进行自由选择的市场之一。

随着日美两国贸易摩擦的加剧，美国的证券公司参与日本市场，从 1986 年左右开始，美国人称日本是"内幕交易的天堂"，对日本进行批评。大藏省要求证券业界加强自律。在这种政治背景下，以 1987 年发生的 D 化学案件为契机，要求惩治内幕交易对证券交易法进行修改的呼声高涨起来。1987 年 10 月以后，证券交易审议会进行了集中检讨，向大藏大臣提交了规制内部人交易办法。大藏省以此为基础，制定了《证券交易法部分修订的法律案纲要》。经内阁讨论后成为证券交易法部分修订的法律案，正式向国会提出。1988 年获得通过。该法从 1989 年 4 月 1 日开始实施。

修订案有两条是关于公司内部人及公开要约收购关系人的规定，并且恢复了短线交易人的报告义务，规定了短线交易归人民。1990 年和 1992 年又两次修改法律，扩大了内部人的范围，并成立了具有半独立性的证券监视委员会，加强对内部人交易的管理。人们都期待从此可以顺利地取缔内幕交易了，但实际上，具有了新的立法后，虽然有些有内幕交易嫌疑的案件受到了证券交易所的调查，但不管怎么讲，内幕交易是很难举证的，当年也没有检举揭发这方面的案件。因此，该修订法的实效很难证明。

3. 泡沫经济崩溃后投资者保护法律制度的进一步完善时期：20 世纪 90 年代初至今

20 世纪 80 年代后期，日本证券市场中以参与企业经营、强化交易关系或只是为了投机买卖等目的，大量收购公众公司股票的情形迅速增加，这些行为必然涉及市场的公正性、透明性，进而涉及投资者保护方面的问题。为了及时、适当地向投资者披露有关股票的大量买进、持有、卖出等信息，1990 年日本建立了申报持有大量股票制度，即任何人持有公众公司发行的股票的比例超过 5%时，即有义务向大藏大臣提交申报书。

与此同时，为了与国际接轨，日本对 20 年来不曾变化的公开收购制度，也做了重大修改。除了将原来规定的持有股份达 10%时所负履行公开收购义务的持股比例降为 5%等内容以外，还规定：(1)在市场外收购有价证券时，原则上必须按照公开收购方式进行；(2)为了保持行政的中立性，防止泄密和幕后交易，取消事前申报的规定，改为通过报纸公告的形式公布收购日期；(3)增加了与公开收购有关的民事赔偿责任方面的规定。

1991 年 6 月，日本媒体报道了野村证券对养老金福利事业团进行损失补偿一事，其他有关证券公司进行损失补偿以及与暴力团的联系等问题也相继被披露出来。证券公司对特定顾客进行损失补偿，损害了证券市场的公正性和投资者对证券市场的信赖。为了防止再次发生此类违法事件，恢复国民对证券市场的信赖，日本做出了禁止损失补偿和全权委托交易等规定，并强化了相应的罚则。

1992 年，日本证券市场迎来了泡沫经济崩溃以来的第一次较大变革。首先是在前两年的基础上，针对证券违法事件及如何确保证券市场的公平、公正问题，重新修改证券交易法规，进一步采取了一些基本对策：(1)为了强化证券交易等监督机制，设置了证券交易监督委员会，并明确了其监督证券交易及金融期货交易的权限；(2)强化了证券交易所和证券业协会的自我监管功能；(3)将具有司法解释性质的如何适用证券交易有关规则的通知法律化；(4)提高了对法人实施证券违法行为的罚金；(5)对市场的不公平交易，如违反稳定操作、操纵市场、幕后交易等，在 1992 年的证券交易法修改中做出了规定，日本证券管理当局除了继续完善证券市场有关监管制度外，开始把注意力转移到如何搞活证券市场上。金融的自由化、国际化，促进了金融的证券化，因而使包括证券市场在内的金融市场的整个环境发生了很大的变化，长期以来银行、证券的分业问题也受到影响。为了应对这一变化，"不断谋求对投资者的彻底保护，并通过促进国内外金融机构及证券公司的有效适度竞争等搞活金融与资本市场，促进其高效化，构建与外国相协调的金融制度和证券交易制度"，日本对证券交易法规进行了修改。修改的内容主要是允许金融机构及证券公司相互渗入对方业务领域；扩大有价证券的定义，从而使商业票据、信用卡贷款债权证券、海外可转让存款证等和多种证券化关联商品成为证券交易法上的有价证券。

根据上述证券交易法的修改，从 1993 年 4 月 1 日起，允许金融机构可通过设立证券子公司进入证券市场，同时证券公司也可设立银行(信托银行)子公司。为了保证子公司的独立性和交易的公正性，对有关关联交易加以严格限制。

1994年，日本证券市场开始放宽自有股份回购限制。过去，日本法律禁止公司回购自己的股份，后来，考虑到完全禁止会有损于公司财务政策的灵活性与机动性，便通过修改商法，部分放宽了限制的条件，规定在可分配利润的范围内，为了注销股份或向员工转让可以回购自己的股份。同时，《证券交易法》也修改了有关披露幕后交易、公开收购、回购状况等规定。

1995年，新《保险法》施行。为使证券市场与其保持一致，对证券交易法也进行了修改。修改后，相应公司发行的公司债券也成为证券交易法调整的对象债券。

为了将证券公司进行的裁定交易和套期交易（称为特定交易）作为特定交易对象的财产，与其他交易及财产在管理上相区分，1996年设立特别交易结算制度。

1997年，发生了20世纪90年代日本证券市场第二次较大的变化，主要是：(1)引入股票期权制度，制定股份注销特例法。(2)针对企业违法事件的不断发生，进一步完善罚则。为了防止银行、证券等机构对暴力团提供利益等一系列企业违法事件的发生，进一步强化了罚则。与此同时，为了适应金融、证券市场国际化的需要，完善了证券市场中不公正交易及违反企业信息披露义务的有关罚则。(3)解除设立持股公司禁令。(4)颁布金融监督厅设置法，相应修改证券交易法。

1997年的大变化，不仅没有给日本证券市场的变革打上句号，反而促使了1998年的改革。改革的主要内容是完善投资者保护措施，改进信息披露方法。在1998年的金融证券制度改革中，日本采取了一系列防范风险、加强投资者保护的措施。企业信息披露与防止不公正交易是保护投资者制度的两大支柱。通过不断修改《证券交易法》等，巩固了这两大支柱。日本《证券交易法》对信息披露制度修订的主要内容有：一是有关少额募集等信息披露制度的补充。关于少额募集等需要向大藏大臣报告的募集或者卖出（发行价格或卖出价格一亿日元以上发行价格或卖出价格未满五亿日元）的，补充相关的信息披露制度(《证券交易法》第4条，第5条，第23条之3，第23条之8，第24条，第24条之5)；二是联结标准向信息披露倾斜。在有价证券报告中，有价证券报告书等记载企业集团的财务状况(《证券交易法》第5条，第24条，第24条之5)；三是公开收买制度的补充。为了减资购买自己的股份等，以及由外国公司收购自己的股份等，符合一定的要件的，必须通过公开收购来进行，补充相应的规定(《证券交易法》第24条之6，第27条之2，第27条之22)。

日本吸取了巴林公司破产的教训，为了在证券公司出现经营危机时能顺利地返还顾客的资产，确保投资者的利益，新建立了顾客资产分别保管制度，并进一步完善了证券公司自有资本和交易责任准备金有关规定。东京证券交易所于1998年10月启用Tdnet(适时信息披露系统)，要求上市公司披露信息时，必须利用该系统，从而使信息披露全面实现电子化。可以说，这次改革是对90年代以来证券市场变化与发展的总结与反思，是证券市场理念变革的产物。

1999年后日本证券市场的变化，主要是落实金融制度改革法提出的一些改革措施。首先是设立了日本投资者保护基金(第一基金)和证券投资者保护基金(第二基金)。前者会员主要是日本国内证券公司，后者会员主要是外国证券公司。截至1999年底，第一基金会员有 235 家公司，第二基金会员有 54 家公司。从 1999 年 9 月起，实施新的《上市有价证券发行公司适时披露规则》，按照该规则，对发行公司披露有关信息提出了更具体、更严格的要求。从 10 月 1 日起，全面实行委托手续费自由化。

由于跨国公司的发展，企业活动越来越呈现出集团化、全球化趋势，为了使投资者更好地了解企业的实际情况，包括子公司等在内的企业集团有关信息（合并信息），更加显得重要。因此，根据 1998 年《证券交易法》的修改，将过去以个别公司为主的信息披露改为以合并基准为主的披露，从 2000 年 3 月起引入合并主体的财务报表制度，同时，将与子公司有关的信息也追加规定为需要披露的重要事实，并扩大了合并对象子公司以及关联公司的范围。从 2000 年 4 月 1 日起，在企业会计上，改变过去一直采用的原价主义，对有价证券以市价计入资产负债。

在 2001 年、2002 年两年间，日本继 1999 年创设股份交换和股份转移制度、2000 年增设公司分立制度，又进行了号称 1950 年以来规模最大的商法《公司法》修改，于 2002 年 5 月 29 日完成修法工作。2003 年虽又进行了局部调整，但仅为技术性的处理。之所以要进行如此大规模的法律修订，主要是因为：日本《公司法》基本上属于事先管制型的法律，日本《公司法》为确保交易的安全，维护股东及债权人的利益，设置了名目繁多的详细规则，并严格追究违法董事的法律责任，特别是 1993 年强化监事制度、改善股东代表诉讼的举措，使得追究董事、经理责任的股东代表诉讼案件成倍增加，追诉金额也往往高达数十亿甚至逾百亿日元。它对遏制公司董事、经理的违法行为颇有成效，但对如何发挥董事等经营者治理公司的积极性和创造性，则明显考虑不足。而新经济条件下的全球化竞争格局，已经对公司治理提出了新的要求，人力资本、经营者的能力及贡献，对于企业的兴衰存亡的作用往往更为重要，这必然导致尊重董事、经理的经营判断能力，赋予其更多的管理权限，使其轻装上阵，大展宏图。与此同时，通过对股东等提供充分、有效的信息，为自己承担投资风险创造前提条件。因此，事先管制型的法律与事后监控型的法律相比较，后者更具合理性。

日本这次修法活动，在 1997 年和 1998 年简化公司合并程序、放宽对公司取得自己股份的限制，1999 年创设股份交换和股份转移制度，2000 年引入公司分立制度、改善公司合并、股份交换和股份转移制度以促进公司购并和重组的基础上，主要围绕保障公司治理的实际效果、高度信息化社会的应对措施、改善企业资金调度方式以及企业全球化经营的对策等四大方面 28 个课题展开，其重点为改善公司治理结构，增加企业的透明度，试图以此从根本上提高日本企业的国际竞争力，重振昔日的辉煌。

半个多世纪以来，日本证券市场发生了巨大的变化，特别是近十多年来其变化之快，使人有眼花缭乱之感。可以说，今日的日本证券市场，虽已非昨日，但其始终未变的是保护投资者的宗旨。如果从深层次理解日本证券市场的变化，可以发现，如何不断完善投资者保护措施，始终是其变化的基点，只不过有些改革措施在这一点上体现得更加直接些，有些则体现得比较间接些而已。

（四）德国上市公司退市的法制进程

德国上市公司退市的法制进程大体可分为以下几个阶段：一是从德国旧商法到二战

前的商人法时期，即19世纪中叶至二次战前，该阶段由于德国证券市场和公司不发达，对投资者保护的需求和水平都不高，当时有关的主要法律是《德国民法典》和《德国商法典》(包括旧的商法典和新的商法典)；二是二战至20世纪60年代末，以保护投资者的企业法为特征，其中具有代表性的法律如股份公司法；三是自20世纪70年代至今，德国对投资者的保护开始考虑并逐步适应经济全球化的趋势，该阶段德国关于投资者保护的法律受到欧盟法很大影响，并于1990—2004年，颁布了一系列法律，加强对投资者的保护。

在阐述德国投资者保护的法制进程之前，为了更好地理解德国对投资者保护的立法特点，这里有必要首先简要介绍一下作为大陆法系典型代表国家之一的德国法律体系的构成和背景。

德国法律在体系上划分为公法和私法两大部分。公法以德国基本法为核心，包括国家法、教会法、行政法、刑法、程序法、社会法、财政法、税法、对外关系法等一系列公法性法律制度。德国私法由广义上的民法和广义上的私法，以及狭义的经济法组成。《德国民法典》是德国民法的核心，是全部德国私法理论的基础。德国商法是德国私法的一部分，不同于普通的私法，是普通私法之外的一种特别私法。《德国商法典》是德国商法的核心，包括商事主体和商行为法、公司法、票据法、交易所法、银行法、保险法、海商法，从投资者保护的角度看，德国保护投资者的法律主要是私法，尤其是特别私法，即商法。换言之，商法是直接保护投资者利益的法律。

尽管从启蒙时代开始，西方法律思想的核心就是个人主义，然而，德国社会与其他西方国家相比，具有其自身的特点。在价值观方面更多强调共同主义，即社会不仅是个人的相加，首要的关注对象是国家的利益和需要。在结果上就是不同的利益主体能够基于社会共同的利益和需要而团结合作。二战后，德国的法律体制是典型的社会市场经济法律制度，它把市场竞争自由原则和社会利益原则相结合，把个人进取心与社会进步相结合，以社会大众福利制为目的。在投资者保护的法制进程中，法律制度和规则始终体现了这一特征。例如，德国全能银行对投资者保护的作用、公司共同参与制对投资者保护的间接作用、独立中介机构和政府的行政管理对于投资者保护的作用，这些投资者保护机制和投资者的权利一起共同起到了投资者保护的作用。尽管德国法律缺少像股东代表诉讼这样的机制，在这方面给予股东的保护较少。但是，德国公司的实践提供了两种其他的机制来保护股东，即监事会控制管理层和全能银行的支配地位。又如，德国《参与决定法》所追求的不是对抗，而是企业管理机关之间的合作。

1. 上市公司退市投资者保护的商人法阶段：19世纪中叶至二战前

投资者保护的商人法阶段的主要特征是投资者保护的法律在形式上看是商法典，商法典主要体现了商人法的特征，股东保护的主导理念是自由主义。在德国，投资者保护的商人法阶段的大致范围是从德国旧商法到二战前这一阶段。在这一时期，德国证券市场和公司不发达，投资者保护的需求和水平不高。《德国民法典》《德国法典》和其他关于投资者保护的法律均体现了这一特征。

《德国民法典》反映了当时的社会关系，即一个具有自由主义倾向的大市民阶层和普鲁士集权国家的保守势力在德意志帝国的民族国家范围内达成妥协。当时的经济生活完全由一种色彩鲜明的自由主义所左右。虽然19世纪70年代和80年代，一种处于家长式集权国家的关怀思想的社会政策已经开始出现，但这些社会倾向几乎还没有渗入私法。因此，《德国民法典》与其说是20世纪的序曲，毋宁说是19世纪的尾声，是一个历史的审慎终结，而非一个新的未来的果敢开端。

商法典的情况也大致如此。19世纪上半叶，德国依然处于封建割据状态，商法法规极不统一。19世纪中叶，经普鲁士邦提议，联邦议会于1861年颁布了《普通德意志商法典》，即旧商法典。1871年统一的德意志帝国成立，由此开始了新法典的编纂工作。新《商法典》于1897年颁布，1900年生效。旧商法典包括专门适用于商业活动中人和法律行为的私法规范，以及关于合伙和公司的法律规定。1870年对《公司法》进行修改，赋予人们组建法人公司的自由。经济上的自由主义获得了明显的胜利。为了保护股东和公司债权人不受欺诈性筹资活动和管理不善之害，1884年对《公司法》进行了修改，使得契约自由在这一领域受到极大的限制。此时，股东民主的观念才被引入德国商法典，小股东的人数和分散程度缓慢增加，银行的代理投票变成德国《公司法》的重要特征。此外，1896年证券交易所法对1870年的自由主义进行了限制，规定了公开的要求和招股说明书虚假陈述的责任。

2. 上市公司退市投资者保护的企业法阶段：二战至20世纪60年代末

二战后，企业在德国商法中已经成为一个基本的概念。联邦德国的学理发展了企业法理论，与传统的商法与《公司法》相对立。传统的商法更倾向于强调经济活动是私人的事，现代的商法更倾向于强调经济活动的社会影响和作用。一般认为，企业是社会组织，其组成不仅保护资本和劳力的结合，而且包括管理或专业技术的结构，甚至债权人和公众利益等。投资者保护的企业法阶段的特征是少数股东的地位受到重视，法律对投资者保护的措施加强；同时，债权人、员工与其他公司利害关系人的保护与投资者保护同时进行。在经济上，德国的社会市场经济体制取得成功，投资者保护和企业发展协调前行。

在两次世界大战之间，德国的市场经济被国家计划经济所取代。最初包含在德国商法典中的股份公司，从1937年开始改为单行法规定。德国《公司法》1965年颁布，1998年最近一次修改。1884年以来，《公司法》关于股份公司的规定一直十分严格，以保护投资者不因欺诈以及公司发起人和董事的不胜任而受到损害，并使股份公司成为公众投资的合适对象。

1965年《股份公司法》改革的目的是提高股票投资的吸引力和加强股东的地位。1965年《股份公司法》的重要变化包括限制合同自由、降低股票的面额、提高股东获取信息的权利，提高股东会在分红时的影响力，以更有效地保护少数股东和提高信息披露的要求。例如，1965年《股份公司法》关于康采恩规定的重要目的之一就是保护外部股东。在德国，股份公司总数的大约3/4以及90%的资本以及大约一半的有限公司都与康采恩结合在一起。在1965年《公司法》实施前，德国《公司法》中不存在集团企业中外部股东的保护制度。在德国法律上，康采恩划分为三种类型：合同型康采恩、事实上康采恩和联合企业。德国股份法第三编以保护股东与债权人不因来自另一企业的支配性影响（外部控制）而受到损害作为中心任务。对合同型康采恩而言，只有存在支配合同，且局外股东与债权人得到相应担保作为保护时，立法者才允许支配企业为了自身利益或康采恩利益损害从属公司的利益。

在德国股份法中，除了每个股东享有同样的权利外，《公司法》还规定了少数股东权利的制度，即《公司法》赋予持有一定少数比例股份的股东特殊的权利。这些权利的范围广泛，包括持股比例占公司资本10%的股东可以强制公司行使对董事的损害赔偿请求权，或者阻止股东会通过投票表决而放弃这些请求权等，以及持股比例5%的股东可以召开股东会，并书面要求董事会将特定事项列入股东会的议事日程等。

3.上市公司退市投资者保护的经济全球化阶段：20世纪70年代至今

随着经济的全球化和区域经济的一体化，市场的一体化需要统一的市场规则，特别是法律规则。德国投资者保护的全球化阶段的动因是欧盟法的影响、德国公司治理的失效和美国公司治理机制的影响。这一阶段投资者保护的法律特征主要是在德国公司治理模式的基础上，进一步强调投资者权利、市场机制的作用和公司透明度。

欧盟公司法指令关于投资者保护的规定是德国投资者保护的重要法律渊源。指令主要针对所有的成员国，并要求它们履行把指令的内容转化为本国国内法的义务。例如，为保护公司的股东和其他利害关系人的利益而制定的保障措施，以使这些措施趋同的第一号公司法指令中关于信息公开的规定；关于股份有限公司合并的第三号公司法指令等，均包含了投资者保护的规定。由于欧盟关于内幕交易的指令，德国也加强了对这个问题的重视。1994年德国颁布了《内幕交易法》。根据该法，内幕交易是"重大违法行为"行为，会受到罚款或5年以下的监禁。20世纪90年代以前，德国对于内幕交易的看法一直持保守态度，不主张控制内幕交易，几乎没有对内幕交易的监管和制裁。但随着美国公开禁止内幕交易以来，其规制内幕交易的价值日益获得各国监管机构的重视，禁止内幕交易已成为各国立法的普遍趋势。德国也放弃其反对禁止内幕交易的一贯立场，接受了欧盟的《内幕交易指令》，并通过了《德国有价证券交易法》。尽管欧盟公司法指令对德国法的影响有限，但欧盟的指令正在发挥着不可忽视的作用。

在20世纪70年代和80年代，德国公司治理的模式很好地适应了经济发展的需要，但其后德国公司治理模式却遭到了质疑和批评。在20世纪90年代，德国许多大型企业出现严重危机，甚至倒闭，同时资本市场日益国际化，股东结构全球化趋势加强。为了迎接资本市场全球化的挑战，德国颁布了一系列法律法规，例如《德国金融市场改革法》就是为了提高资本市场的数量、质量和多样性，吸引国外的投资者，增强德国资本市场的吸引力。1998年《股份公司法》的修改也是适应欧盟经济一体化和经济全球化的需要而提高公司透明性和以资本市场为导向。例如，减少董事会人数、强化股东会的权力、提高审计的质量和修改公司收购自己股份的限制。此外，一些德国公司开始在美国纽约交易所直接上市，而非传统发行存托凭证。这表明德国公司主动提高信息披露的标准和提高公司信息透明度，从而更好地保护投资者权益。

德国于1998年5月颁布了《加强企业监督和透明度法》，该法对《德国商法典》和《股份公司法》进行了一系列修订和补充，对企业负责人风险管理和年度决算报告的法律法规进行了调整，以改善和加强企业的风险管理和监督体系。其主要内容包括：（1）董事会或公司负责人风险管理的责任；(2)扩大了风险公开义务；(3)进一步加强董事会就未来业务计划(特别是财务、人事和投资计划)向监事会汇报的义务；(4)加强监事会的监管职能，提高召开监事会的频率；(5)通过修改委托权限要求监事会和年度决算会计师加强合作，扩大了监事会的报告义务；(6)要求增加监事会成员选举时向股东推荐书中的信息；(7)扩大了会计师的职责。

总而言之，德国公司法正愈来愈受到欧洲统一运动的影响，细节化的欧洲公司法和国际公司法方案在可预计的将来不会立即成功。今后的任务是通过对民族特性的尊重，尽量去除国际合作中的障碍以及创造最大限度地国际的透明度，从而更有效地保护广大投资者的合法权益。

二、国内上市公司退市制度的历史沿革

本节主要关注 1991—2014 年我国上市公司退市影响的有重大制度的变迁，而不是去梳理每一个具体的细节，为了更好地界定本节讨论的具体内容，做以下说明：

我国的证券市场是改革开放之后才真正发展起来的，中华人民共和国成立后，我国原来的证券交易所被取缔，其后虽有人民胜利折实公债和国家建设公债的发行，但没有交易，称不上证券市场。

就我国证券市场的退市制度的形成和发展过程来看，我国上市公司退市法律制度的变迁大致可以划分为四个阶段。第一阶段：1990 年 12 月—1998 年 3 月，我国上市公司退市法律制度的萌芽期；第二阶段：1998 年 3 月—2004 年 1 月，我国上市公司退市法律制度的起步期；第三阶段：2004 年 1 月—2011 年 10 月，我国上市公司退市法律制度的深化期；第四阶段：2011 年 10 月至今，我国上市公司退市制度的改革期。

在中国证券市场的发展历程中，2001 年，对于上市公司退市机制的建立和启动具有里程碑意义。建立上市公司退市机制，是规范发展证券市场的重大举措。一个高度市场化的证券市场可以通过其内在的吐故纳新动态调整，不断吸纳优质公司上市，同时又不断淘汰劣质公司下市，以提高资源配置效率。退市机制作为证券市场资源配置机制的有机组成部分，可以对上市公司产生有效的约束和激励，提高上市公司质量，是保证上市公司总体质量的必要途径。

上市公司退市，也称"摘牌"，是公司股票终止上市的通俗说法，实际上是指上市公司因某种原因被挂牌交易的证券交易场所取消上市地位。这里所说的证券交易场所，既包括证券交易所，也包括其他能够提供交易的场所，如柜台交易场所、网上交易系统等。我国《公司法》第 120 条规定："上市公司是其股票在证券交易所上市交易的股份有限公司。"因此，在我国，退市仅指上市公司股票在证券交易所摘牌。

从各国股市发展的历程来看，退市有自愿退市和强制退市两种方式。自愿退市是指上市公司从自身的需要出发，主动要求从所挂牌的证券交易所退出。强制退市是指证券交易所根据相关的法律和规则对上市公司进行强制摘牌。

在发达国家的股市中，退市犹如上市，是股市的一项常规性机制。但在中国，退市也就意味着丧失融资资格的生死攸关问题，因此，上市公司及有关方面往往不愿意轻易

退市。而如果不对连续亏损或丧失上市条件的上市公司实行退市，上市公司的规范化运作、股市的规范化运行、中小投资者权益的保护等都将受到严重损害，正如中国证监会新闻发言人就退市问题答记者问时所说，"建立上市公司退出机制，是规范发展证券市场的重大举措"。

退市机制本应作为证券市场建设中的应有之物，但是由于种种深刻的体制原因和社会原因，中国证券市场退市制度的建立经历了一个不断探索的过程。这一过程从 1994 年《公司法》生效到中国证券市场先后实行 ST 制度和 PT 制度，再到 2001 年我国正式实施退市，跨越了长达 8 年的时间。

(一) 第一阶段：1990 年 12 月—1998 年 3 月，我国上市公司退市法律制度的萌芽期

1990 年底我国上海和深圳相继成立了证券交易所，这是我国证券市场正式建立的重要标志，一些地方开设了证券交易自动报价系统(STAQ)，并进行了企业法人股的交易试点，同时建立了地方证券交易法规制度，使证券交易逐步规范化。

然而，1992 年 7 月 7 日，深原野因涉及虚假投资、非法逃税、欺诈等行为被正式停牌。但是深原野并没有真正退市，1994 年 1 月重组更名为"世纪星源"，重新在深证券交易所挂牌，这是中国上市公司退市的第一例。在出现了这一例退市后，随之而来的，是关于上市公司退市法律法规也初露端倪。

国务院 1993 年 4 月 22 日颁布实施了《股票发行与交易管理条例》(以下简称为《条例》)，在此阶段，该《条例》是规范我国证券市场最为重要的法律文件。1993 年 12 月，我国出台了《中华人民共和国公司法》(《公司法》)，首次对暂停上市和终止上市做了明确规定，但由于其规定的条款缺乏可操作性，在之后的几年内，上海证券交易所和深圳证券交易所无一起退市案例发生。

在证券市场建立初期，由于缺乏规范证券市场的法律和法规，证券市场管理体制尚未理顺，存在多头管理局面，这种不规范现象在退市方面尤为突出，加之缺少退市的实际经验，中国上市公司退市制度并无真正实施。

《中华人民共和国公司法》《中华人民共和国证券法》(证券法)关于上市公司退市的相关规定：

我国《公司法》《证券法》在上市公司退市问题上做出了暂停上市和终止上市的程序性规定。1994 年实施的《公司法》中明确规定了退市条件、执法机构，其后颁布的《证券法》承接了《公司法》有关退市的规定。2005 年"两法"修订中，将《公司法》中涉及上市公司退市的条款略经修订后转移至《证券法》中，解决了"两法"相互间的"越位"现象，清晰了"两法"间调整规范范围的界定。在这次修订中，重要的是将原《公司法》中的执法主体国务院证券管理部门变更为证券交易所。

(二) 第二阶段：1998 年 3 月—2001 年 12 月，我国上市公司退市法律制度的起步期

1998 年 12 月 29 日，我国通过了《中华人民共和国证券法》，这是我国第一部证券法。

2001 年 2 月 22 日，我国证券监督管理委员颁布了《亏损上市公司暂停上市和终止上市实施办法》，规定证券交易所不得为暂停上市的公司股票提供特别转让服务，并详细制定了暂停上市、恢复上市、终止上市的细则。

1998 年 3 月 16 日，中国证券监督管理委员会发布了《关于上市公司状态异常间的股票特别处理办法的通知》。沪、深证券交易所在 1998 年 4 月 22 日宣布，根据 1998 年实施的股票上市规则，将对财务状况或其他状况出现异常的上市公司的股票交易进行特别处理，由于"特别处理"的英文是 special treatment（缩写是 ST），因此这些股票就简称为 ST 股。上述财务状况或其他状况出现异常主要是指两种情况：一是上市公司经审计连续 2 个会计年度的净利润均为负值；二是上市公司最近 1 个会计年度经审计的每股净资产低于股票面值。在上市公司的股票交易被实行特别处理期间，其股票交易应遵循下列规则：（1）股票报价日涨跌幅限制为 5%；（2）股票名称改为原股票名前加"ST"，例如"ST 辽物资"；（3）上市公司的中期报告必须审计。ST 制度自 1998 年实施以来，其后又经过了多次修改和完善。2005 年修订的上海证券交易所《股票上市规则》规定：上市公司出现财务状况或其他状况异常，导致其股票存在终止上市风险，或者投资者难以判断公司前景，其投资权益可能受到损害的，本所对该公司股票交易实行特别处理。特别处理分为警示存在终止上市风险的特别处理和其他特别处理。ST 制度的实施，是建立退市制度的初步探索。对于连续两年亏损的公司，在股票简称之前增加"ST"标志，客观上起到了向投资者提示投资风险的作用。ST 制度也向地方政府和大股东提示了公司存在的亏损及退市风险，促使他们积极行动起来，采取重组措施，使公司扭亏为盈。比如，辽物资 A 于 1998 年 4 月 28 日被实施特别处理，简称"ST 辽物资"，是我国首家实施 ST 的上市公司。此后，1998 年当年又陆续有 27 家上市公司实施 ST。

截至 2012 年 11 月，我国股票市场共计 601 家企业戴上过"ST"的帽子。作为 ST 制度的延伸，PT 制度（即特别转让，particular transfer）随之产生。

1998 年 4 月 28 日辽物资（0511）成为第一只 ST 股票。该公司 1996 年每股收益为 -0.23 元，1997 年每股收益为 -1.16 元，已连续两年亏损。为此，该公司股票成为第一只 ST 股票。消息公布后，该股连续 3 天以 5% 跌停。但该公司可积极设法进行资产重组。1998 年 11 月 14 日，该公司发布公告："决定对本公司拥有的资产、负债进行 100% 的置换"。即将该公司资产 40 505 万元及相应的负债 26 305 万元全部置换出公司，并变更主营业务，原商业业务变为基础设施开发建设、宾馆、旅游服务业。此次资产置换方是沈阳银基集团公司。消息公布后，该股连续 3 个涨停，由 11 月 16 日收盘价 8.8 元，涨到 18 日收盘价 9.7 元。公司 1998 年每股盈利 0.082 元。股票从 1999 年 4 月 27 日起摘掉 ST，成为第一只摘掉 ST 的股票。

1999 年 7 月《上市公司股票暂停上市处理规则》颁布与 PT 制度的试行。《公司法》第 143 条规定：股东持有的股票可以依法转让。苏三山股票暂停上市之后，很多投资者对股票不能转让变现反应强烈。为了解决股东转让股票的问题，需要设计一套制度来解决这个问题。在充分调查研究的基础上，经中国证监会批准，1999 年 7 月，上海证券交易所、深圳证券交易所同时颁布了《上市公司股票暂停上市处理规则》。其中，首次提出对暂停上市公司股票的交易实行"PT"（Particular Transfer，特别转让）制度，即对近3年连续亏损的上市公司暂停其股票上市；在公司股票暂停上市期间，为投资者提供"特别转让服务"。"特别转让服务"是指公司股票简称前冠以"PT"字样；投资者在每周五（法定节假日除外）开市时间内申报转让委托，申报价格不得超过上一次转让价格上下5%；每周五收市后对有效申报按集合竞价方法进行撮合成交；转让信息不在交易行情中显示，由指定报刊设专门栏目在次日公告；公司股票不计入指数计算，成交数据不计入市场统计。与ST制度一样，建立PT制度的初衷，一方面在对上市公司进行警告的同时，给予其改善经营业绩的机会，另一方面也是向投资者提示退市风险。通过限制交易时间（每周交易一次）、交易透明度（一次撮合成交）和股价波动幅度（5%的涨跌幅限制）的办法，达到股价的逐步回归，为股票退出市场做准备。尽管ST、PT制度的推出隐含着管理层良好的初衷和善良的愿望，然而事与愿违。PT制度的建立，并没有起到很好的预警作用，市场上"PT族"公司的数量不是日渐减少，反而有扩张之势；特别是PT苏三山通过资产重组摘掉了PT帽子，更名为"振新股份"重新上市并且在股价上拓展了巨大的上扬空间以后，PT制度完全失去了应有的市场警示作用，成为另一轮的炒作对象。

PT制度不可避免地会出现消极后果的原因在于：PT制度不符合市场经济优胜劣汰的基本原则，对于连续亏损的上市公司是一种纵容，既有损于政策的权威性和法规的严肃性，又对其不能产生很大的经营压力，难以形成有效的约束和激励机制，造成了上市公司整体素质低下；PT制度扭曲了证券市场的运行机制，降低了证券市场有效配置资源的功能，PT公司是亏损最严重的公司，但也是最有可能"乌鸦变凤凰"的公司，受到市场的热烈追捧，证券市场价格引导作用无法实现。

2001年2月《亏损上市公司暂停上市和终止上市实施办法》的发布标志着我国退市制度的正式建立和实施。PT制度作为一种特定环境下的过渡性制度安排，终将随着制度环境的改变而改变，这是由市场本身的客观规律所决定的。2000年初，中国证监会提出要着手研究连续3年以上亏损上市公司的退出问题。当年年底时任中国证监会秘书长屠光绍在"中国证券市场十年论坛"上提到：证券监管需要加强研究上市公司摘牌制度，对不符合继续上市条件的公司采取摘牌退市，真正体现证券市易的优胜劣汰。2001年2月22日，中国证监会发布了《亏损上市公司暂停上市和终止上市实施办法》，标志着我国上市公司退市制度的正式建立和实施。

《亏损上市公司暂停上市和终止上市实施办法》规定，上市公司预计第3年度仍然连续亏损的，董事会应及时做出风险提示公告。公司公布年报后，凡属连续3年亏损的，证券交易所依法做出有关暂停上市的决定。公司暂停上市后，可以在45天内向证券交易所申请宽限期以延长暂停上市的期限。宽限期为自暂停上市之日起的12个月。公司向证券交易所申请宽限期的，应做出申请宽限期的决议，并向证券交易所说明近期盈利的可能性及采取的具体措施。董事会经充分研究认为确实扭亏无望的，公司则不应提出宽限期申请，直接依法终止上市。

暂停上市公司如要恢复上市，须具备法定上市条件和持续经营能力，并且需要履行必要的审核和核准程序，否则公司将依法终止上市。终止上市的公司应根据《亏损上市公司暂停上市和终止上市实施办法》规定，预先向投资者进行风险提示，并于终止上市后，向投资者有一个全面的交代。

在与《亏损上市公司暂停上市和终止上市实施办法》同时发布的一份通知中，中国证监会还规定了已暂停上市的公司恢复和终止上市的办法。具体内容包括：公司应在 2001 年 4 月 30 日前公布 2000 年年报，未公布的将被终止上市；6 个月宽限期内未获核准，或年报公布后 45 天内未提出恢复上市申请的，将被终止上市；年报内容被出具否定意见或被拒绝表示意见，6 个月宽限期未获核准，或 45 天内不提出宽限期申请的，将被终止上市。另外，获宽限期的公司，其 2001 年年报必须经过审计，然后根据不同情况决定终止或恢复上市。

2001 年 4 月 23 日，是我国证券市场发展历程中的一个历史性的时刻——上海证券交易所的 PT 水仙正式退出了我国的证券交易市场，这在我国公司及证券发展史上是极为重要的一个时刻，它标志着我国证券市场的退市机制终于真正开始运作了。2001 年 4 月 18 日，PT 水仙 2000 年年报发表。年报显示，公司上一年度全年净利润亏损高达 1.457 亿元，每股收益为-0.62 元，这是该公司连续第 4 个亏损的年份。4 月 20 日，上海证券交易所发布公告，否决了水仙提交的《关于申请延长暂停上市期限的报告》，4 月 23 日，水仙正式退出，成为我国证券史上第一只退市的股票。

2001 年 6 月、11 月，中国证券业协会分别发布了《证券公司代办股份转让服务业务试点办法》和《股份转让公司信息披露实施细则》，代办股份转让业务向前迈出了重要的一步，退市公司到代办股份转让系统交易的程序得以确定。2001 年 6 月 13 日，深圳证券交易所发布公告，驳回 PT 粤金曼申请宽限期的请求，并将该决定上报中国证监会。2001 年 6 月 17 日，PT 粤金曼被中国的证监会终止上市，从而成为深市首家退市的上市公司。2001 年 11 月《亏损上市公司暂停上市和终止上市实施办法(修订)》发布，PT 制度终止。在退市实践的基础上，根据实施过程中的有关情况和各方面的反映，2001 年 11 月 30 日中国证监会正式发布了《亏损上市公司暂停上市和终止上市实施办法(修订)》。新的退市办法在暂停上市和终止上市的批准权限、批准程序、股票交易等方面进行了重要修改。

与老办法相比，新的退市办法在以下几个方面做了修改：首先，根据《公司法》和《证券法》的有关规定，中国证监会授权证券交易所依法做出暂停上市、恢复上市和终止上市的决定。这个规定是向国际惯例靠拢，体现了退市办法的市场化原则。其次，取消了宽限期申请的有关程序。公司连续 3 年亏损，其股票即暂停上市。暂停上市后第一个半年度公司仍未扭亏，交易所将直接做出终止上市的决定。反之，如果公司实现盈利，可以按照办法规定的程序申请恢复上市。这就增强了客观性，减少了主观因素，简化了程序。最后，取消 PT (特别转让)制度。公司暂停上市后，股票即停止交易，证券交易所不提供转让服务。PT 制度的目的是便利股东转让股份。自实行以来，在释放市场风险等方面也发挥了积极作用。但是恶炒 PT 股票的现象也加大了市场风险。新办法取消了 PT 制度。终止上市的公司，可以委托中国证券业协会批准的证券商为其代办股份转让服务，以保障股东依法转让股份的权利。

2003 年 3 月 18 日，为保护投资者的合法权益，我国证券监督管理委员会就《亏损上市公司暂停上市和终止上市实施办法（修订）》执行中的有关问题做了补充规定，同年4月，上海证券交易所和深圳证券交易所开设实施了退市风险警示制度，该规则在"存在终止风险"的股票简称前冠以"*ST"字样以区别于其他股票，限制其报价的日涨幅为5%。退市风险警示制度的作用在于：一是警示投资者高度关注投资风险，二是提醒上市公司及其主要股东充分关注公司股票面临退市的风险。从实际运行情况来看，该制度确实起到了一定的风险揭示作用，但是也存在一些问题，由于普遍存在资产重组预期，不少被实施"退市风险警示处理"的股票出现了恶意炒作的现象，并形成了板块炒作效应，时常出现群体性暴涨暴跌。该补充规定对退市公司股东权益保障、因追溯调整出现连续亏损而面临退市的处理、上市公司未依法履行定期报告义务适用退市规则等方面的问题做出了规定。规定自发布之日起正式施行。补充规定明确，因财务会计报告存在重大会计差错或虚假记载，公司主动改正或被责令改正，对以前年度财务会计报告进行追溯调整，导致最近2年连续亏损的，如公司追溯调整行为发生当年继续亏损，证券交易所应自公司发布该年度报告之日起10个工作日内，做出暂停其股票上市的决定。补充规定指出，已出现最近2年连续亏损的公司，或者根据本补充规定的有关规定进行追溯调整后出现最近2年连续亏损的公司，其年度财务会计报告继续显示亏损，或者虽然显示盈利但被出具非标准无保留意见审计报告的，公司董事会在审议年度财务会计报告时，应就有关事项做出决议，并提交最近一次股东大会审议。

2004年2月5日，我国证券监督管理委员会制定了《关于做好股份有限公司终止上市后续工作的指导意见》，该文件对维护证券市场的秩序，保护投资者的合法权益，指导股份有限公司妥善处理好其终止上市后保护股东权益、转让股份、资产重组和申请再次上市等事宜，有着重要的指导意义。

2003年4月2日，上海证券交易所和深圳证券交易所发布《关于对存在股票终止上市风险的公司加强风险警示等有关问题的通知》，交易所对其股票交易实行"警示存在终止上市风险的特别处理"，在公司股票简称前冠以"*ST"标记。《关于对存在股票终止上市风险的公司加强风险警示等有关问题的通知》规定：存在股票终止上市风险的公司，交易所对其股票交易实行警示存在终止上市风险的特别处理，在公司股票简称前冠以"*ST"标记，以区别于其他公司股票。在退市风险警示期间，股票报价的日涨跌幅限制为5%。有下列情形之一的为存在股票终止上市风险的公司：最近2年连续亏损的；财务会计报告因存在重大会计差错或虚假记载，公司主动改正或被中国证监会责令改正，对以前年度财务会计报告进行追溯调整，导致最近2年连续亏损的；财务会计报告因存在重大会计差错或虚假记载，中国证监会责令其改正，在规定期限内未对虚假财务会计报告进行改正的；在法定期限内未依法披露年度报告或者半年度报告的；处于股票恢复上市交易日至其恢复上市后第一个年度报告披露日期间的公司。在股票交易被实施退市风险警示的情形消除之后，上市公司应当向交易所申请撤销特别处理，并在撤销前一交易日做出公告，公告当日其股票及衍生产品停牌1天，自复牌之日起交易所撤销其股票简称中的"ST"。5月12日，上海证券交易所、深圳证券交易所从即日开始实行退市风险警示制度，其主要措施为在其股票简称前冠以"*ST"字样，在交易方面，被实施退市风险警示处理的股票，其报价的日涨跌幅限制为 5%。

2001—2004 年,我国证券市场共有 28 家上市公司退市,除了两家上市公司因为吸收合并退出市场,其他上市公司终止上市原因皆为连续 3 年亏损。

(三)第三阶段:2004 年 1 月—2011 年 10 月,我国上市公司退市法律制度的深化期

2004 年 1 月 31 日,国务院发布了《国务院关于推进资本市场改革开放和稳定发展的若干意见》,明确提出积极稳妥解决股权分置稳妥。随着股权分置改革的深入推进和一系列法律法规的出台,上海、深圳证券交易所多次修订了《股票上市规则》(以下简称《规则》)。

2004 年 12 月,修订的《规则》大幅增改了特别处理及暂停、恢复和终止上市的有关内容,适当调整了应予特别处理的若干标准,进一步突出了退市风险警示对投资者的风险提示作用。

2006 年修订的《规则》明确了证券交易所对证券上市、暂停和终止上市的审核权,对暂停、恢复和终止上市环节新规则进行了修改,并设立了上市委员会,对股票上市、暂停和终止上市事宜进行审议。

2008 年修订的《规则》对连续 20 个交易日社会公众股股东持股比例低于 25%(4 亿元股本以上低于 10%)的上市公司做出了予以停牌并启动退市程序的规定(该类上市公司可以有一定的宽限期)。此外,还修订完善了破产公司的停、复牌制度。

在此期间,上海、深圳两证券交易所上市公司退市共有 49 家,其中 19 家上市企业的退市原因是连续亏损,18 家上市公司因为吸收合并被终止上市,还有 7 家公司因为私有化退市,另外 4 家上市企业由于暂停上市后未披露定期报告被终止上市,1 家公司因出现证券置换的目的退市。

中石油与中石化整合旗下上市公司

2005 年 12 月 15 日,随着辽河金马山油田有限公司(辽河油田 SZ. 000817)和锦州石化股份有限公司(锦州石化 SZ. 000763)的一则正式公告,中国石油天然气股份有限公司整体回购 3 家上市子公司中的两家 A 股公司的要约。这不仅开创了国内证券市场首次以要约收购实现主动退市的历史先河,同时也宣告了国内证券市场首次以多家上市公司并举、高要约收购溢价、有条件性要约收购的成功实施。2006 年 2 月 12 日,中国石油向吉林化工全体 A 股股东发出的全面收购要约期满,吉林化工将终止上市,至此,中国石油完成了对 3 家上市子公司的整体回购。截至 2006 年 4 月 6 日,齐鲁石化、扬子石化、中原油气、石油大明 4 家公司的预售股份数皆已超过要约收购生效条件,中国石化要约收购 4 家 A 股上市子公司获得成功。据中国石化提供的资料显示,此次收购价格比齐鲁石化、扬子石化、中原油气、石油大明要约收购方案公布前一交易日收盘价分别溢价 24.4%、26.2%、13.2% 和 16.9%,比前一年最高收盘价分别溢价 12.6%、10.0%、11.7% 和 14.1%。

（四）第四阶段：2011 年 10 月至今，我国上市公司退市制度的改革期

2011 年，我国证券监督管理委员会新政频出，其中与退市制度相关的新政主要有：落实完善创业板退市制度、进一步规范股份转让平台、细化对借壳上市的监管等。由此，新一轮改革从我国资本市场的实际情况和长远发展出发，着眼于退市实践中暴露出的问题，着力于完善退市标准体系、规范退市程序及相关配套业务，从而达到明确市场预期、实现风险防范和平稳退市的目的。

2012 年 6 月 26 日，深圳证券交易所、上海证券交易所又一次修订《股票上市规则》，新增及变更了多条退市条件，进一步完善了退市规则。

2012 年 12 月，上海证券交易所发布了《风险警示板股票交易暂行办法》《退市整理期业务实施细则》《退市公司股份转让暂行办法》和《退市公司重新上市实施办法》四项退市配套业务规则。这四项规则是对新修改的《股票上市规则》的细化和落实，其主要目的是建立起相对完善顺畅的市场化退市机制。退市细则中相关措施操作性强，且更加合理。ST 公司、*ST 公司及进入退市整理期公司的股票都将在风险警示板中交易；退市整理股票价格的涨跌幅限制放大为 10%；单一账户当日累计买入单只风险警示股票数量不得超过 50 万股；进入退市整理期的股票实际可交易时间为 30 个交易日，最多再加上 5 个停盘日就必须面临退市，避免了拖延时间的可能；上市公司经过股东大会决议可以选择不进入退市整理期，继续进行资产重组，证券交易所会在股东大会做出决议之日后的 5 个交易日内，对公司股票予以摘牌；而进入退市整理期的股票将不得筹划或者实施重大资产重组。

2019 年 12 月 28 日第十三届全国人民代表大会常务委员会第十五次会议全体会议审议通过了《中华人民共和国证券法（修订草案）》，新《证券法》于 2020 年 3 月 1 日起施行。该《证券法》对上市公司退市制度进行了修订，把上市公司退市权利进行授权，由证券交易所按照业务规则终止其上市交易。

以上的制度和政策是对我国上市公司退市法律制度的总结，从上述上市公司退市法律制度的规定来看，我国上市公司退市法律制度进行了重大的调整。但是，新的规则中的条款是否合理有效，能否经得起市场的考验？改革措施是否具有执行力，能否切断灰色利益链？改革后的退市机制能否发挥提示风险、净化市场、提升价格、保护投资者的功能？能否从根本上治理我国上市公司退市难的现状？这一系列的问题还有待时间证明。

第三节　上市公司退市的一般理论

上市公司退市制度，作为证券市场的重要制度之一，起到弥补我国证券监管制度缺失的重要作用。在这里，之所以对上市公司退市的一般理论进行单独的审视和强调，是因为上市公司退市的理论无论是对证券市场的监管还是对上市公司的公司治理来讲，都是至关重要的。因此，本节主要从契约理论、风险控制理论与上市公司退市之间的关系进行分析，寻其根源，找出其问题所在。

一、契约理论与上市公司退市

万物由一始，其大乃成，学术研究亦然。就此而论，上市公司退市的理论支撑点，即是契约理论。现代契约理论，是近年来法学学者、经济学学者作为最为前沿的研究方向之一。运用契约理论解释上市公司退市、分析上市公司退市机制中主体之间的关系，我们会发现一个重要的问题，即上市公司、投资者、监管机构三者是否存在契约关系？在本节将重点探讨这一问题。

(一) 契约理论

契约最初起源于古罗马，又称为合同、合约或协议。在罗马法中，契约被定义为"得到法律承认的债的协议"。波蒂埃认为，契约是双方当事人互相承诺或双方之一的一方当事人自行允诺给予对方某物品或允诺做或不做某事的一种合同。在英美法中，契约实质上是一种允诺。而在现代经济学上，科斯在1937年发表的《企业的本质》开启了契约理论研究的先河，他认为，企业的本质是契约的组合，通过契约的约定，可以使各方利益达到最大化。经济学上的契约理论的外延比法学上的契约理论外延更为广泛，但二者在本质上还是相同的。

(二) 上市公司与投资者之间的契约关系

上市公司退市的产生，是市场的自然行为，是市场规律所决定的。从契约理论角度分析，上市公司退市机制，实际上就是证券市场各方交易主体所签订了契约规定。投资者和上市公司签订交易协议，双方履行约定意义，各自享有所约定的权利。具体而言，投资者依据所签订的契约，并在约定的时间内为上市公司提供资金，其享有对资金的处置权和收益权；上市公司根据投资者所提供的资金，对资金享有使用权，根据约定，向投资者支付一定数额的利息，即为股票收益，当然，投资者有权在约定的时间内收回原始投资。而上市公司应当遵守公司治理的规则，遵守上市公司信息披露制度、信托义务，同时禁止有欺诈投资者的行为。

一般而言，契约都是不完整契约，上市公司和投资者之间的契约就是一种不完全契约。由于上市公司与投资者之间所有权和经营权的分离，导致二者之间存在严重的信息不对称，同时，投资者也对上市公司缺乏必要的信任。因此，为了确保契约的正常履行，只有介入中间机构，即证券监管机构。证券监管机构处于保护投资者利益角度，必须采取有效的监管措施，对涉嫌造假的上市公司进行制约，加以处罚。另外，上市公司一旦不符合上市标准或违法行为，证券监管机构将终止其上市权利，投资者也将与上市公司终止交易关系。因此，通过监管机构、上市公司和投资者之间的契约关系，便可以在一定程度上约束上市公司行为，起到保护投资者的作用。

(三) 证券交易所与上市公司之间的契约关系

证券交易所与上市公司之间的法律关系同样也是透过企业关系确定的。一般而言，证券交易所主要是依据其与上市公司达成的上市协议，对上市公司进行监管。企业申请上市，经证券交易所审核同意后，企业与证券交易所在上市前签订上市协议，明确双方的权利、义务关系及有关事项。上市协议即是证券交易所与上市公司之间形成的证券交易服务关系的依据，也是证券交易所对上市公司行使自律监管的依据，根据上市协议，上市公司获得在证券交易所系统交易的资格后，证券交易所应为其提供完善、有效、安全的交易措施和条件，上市公司则缴纳证券交易所规定的上市费用。上市协议中均会规定，上市公司应当履行证券交易所相关规则所确定的义务，证券交易所则有权依照法律、法规及证券交易所相关规则对证券发行人进行监管，从而为证券交易进行数据监管提供法律依据。

二、风险控制理论与上市公司退市

(一) 风险控制理论

最早提出对风险概念并对其进行定义的是美国学者尼尔斯，他认为，风险一词在经济学中和其他学术领域中，并无任何实质区别，风险即意味着损害的可能性，某种行为能否产生后果，都应当以其不确定界定，如果某种行为具有不确定性，其行为则反映了风险的负担。郑子云、司徒永富在《企业风险管理》一书中这样表述风险，他们认为，风险是一个比较抽象的概念，既看不到，也摸不着，但是却实实在在地存在于我们的生活当中，简单地说，我们可以把风险定义为"结果的潜在变化"。经过风险管理的不断发展，其职能被定义为专门处理那些因未发生的事，而带来可能性的负面影响，与此同时，风险管理也确立了更为详细且具体的描述和定义。

(二) 证券市场的风险

证券市场风险是因证券价格因素而发生变动，从而引起的证券价格波动，使市场参与的主体遭受到损失的可能性。证券市场风险一般划分为系统性风险和非系统性风险。

1. 系统性风险

系统性风险又称为市场风险，是指由证券市场面对政治、经济、社会等因素，对股票价格所造成的影响。系统性风险是金融机制整个系统性的不稳定和全局性的风险，系统性风险一般包括以下几个方面。

(1)政策风险。政府的经济、管理政策和措施发生了巨大变化，影响到证券交易政策的变化，导致证券的价格发生波动。

(2)利率风险。市场利率的变化随时影响股价的波动。一般来讲，货币利率上升时，股价会下跌，而货币利率下降时，股价就会上升。

(3)购买力风险。购买力风险，又被称为通胀风险，是指在通货膨胀时引起投资者的实际收益的不确定性。在通货膨胀时，投资者的货币购买力会下降，投资的实际收益也同时会下降，投资者的收益有遭受损失的可能性。

（4）市场风险。市场风险是由证券价格的涨落直接引起的，当证券市场整体价值被高估时，市场风险将会被加大，投资者将遭受到损失，在证券投资活动中，该风险是最常见的风险之一。

2.非系统性风险

非系统性风险是指对某个行业或个别证券产生影响的风险，它通常由某一特殊的因素引起，与整个证券市场的价格不存在系统的全面联系，而只对个别或少数证券的收益产生影响。具体包括以下几个方面。

（1）财务风险。财务风险主要是指上市公司的财务结构不合理，融资途径不畅通，导致投资者的收益降低的风险。

（2）经营风险。经营风险主要指上市公司经营管理者在具体的公司管理中出现重大决议失误，造成公司经营不善，导致投资者收益降低的风险。

（3）信用风险。信用风险主要指上市公司不愿或无力履行合约所造成的违约风险。

（三）上市公司退市的风险控制

上市公司退市的风险控制，是针对影响证券市场股票价格的不确定因素所采取的具体措施，从而起到保障投资者合法权益的作用。

1.政策制度因素的影响

由于我国缺乏完善的上市公司退市制度，导致出现很多"政策股"和"垃圾股"。"政策股"是由于政府的严重干预，致使上市公司的股价暴涨或者暴跌。如当股市人气旺盛时，浓烈的"暴涨"犹如脱缰的野马，容易在极短的时间内推动市场过渡上涨，人们纷纷盲目投资并出现"傻瓜赚大钱"的现象，形成非理性繁荣和"全民炒股"的格局，为了控制社会风险，政府往往拆去各种政策措施，"冷却"股市；而当市场大幅向下，为了"维持社会稳定"，政府又往往在社会的普遍"呼吁"和压力下采取各种措施"救市"，对股票指数进行行政调控，阻止市场下滑。我国证券市场极为不健全，政府往往处于"维持社会稳定"的因素需要进行不同形式的行政干预，由于救市极为随意，且不透明，决策酝酿与正式决策过程的程序复杂，不规则，解除结构的不确定性高，协助和参与决策的人员和机构有时候比较多，决策过程比较长，且常常或者通过非正式渠道，或者因为监管机构等部门提供和证券公司、投资基金提前商讨通气和组织实施，救市的消息在正式向公众发布之前常常被提泄露，从而出现大量的政府救市正常消息内部知情人和这种特殊的"内部交易"，以及出现正常消息传播的不对称，出现异常波动，大量"先知先觉"的交易者大获其利，损害证券市场的公平原则，尤其是损害大量不知情的中小投资者的利益。而政府的干预，在无形当中影响了上市公司股票价值，一些经营不善的上市公司，通过一些违反国家的政策，影响股票价值，在短时间内投资者有可能得到了实惠，但是，长期看来，是在损害整个证券市场。上市公司的股票价值，还是要看上市公司的经营业绩，经营业绩好的上市公司，信誉值就好，投资者也看好。反之，靠一些违法违规的手段，就影响了投资者对上市公司的信任。

2.信息披露因素的影响

在上市公司退市时，如果不能全面披露上市公司的财务、经营状况，投资者很难获取正常投资者所需要的充分信息，也不能做出正确的判断，利益极容易受到损失。虽然有的上市公司主动披露信息，但不能排除虚假信息的可能，有的上市公司甚至故意传播误导性的信息，将威胁到公众对证券市场的信心乃至退出证券市场。所以，证券市场要加大对信息披露制度的完善，上市公司要全面、真实、准确地披露一切重要信息，使投资者在平等的条件下获取信息，弥补其弱势地位。

三、上市公司退市的功能

"功能"是指事物或者方法所发挥的有利的作用。上市公司退市的功能也就是上市公司退市的作用。上市公司退市实质就是淘汰经营不善的上市公司，实现优胜劣汰。一般来讲，上市公司退市有预防的功能，也有惩罚的功能。上市公司退市的各项功能从责任适用即动态上来说，补偿功能是首要的，因为它表现为责任的直接目标；责任的惩罚功能次之；责任的预防功能又次之。预防功能通过惩罚功能来实现。而从立法旨意上说，责任的预防功能是首要的；其他则次之。从社会整体利益上看，不发生民事违法行为是最理想的状态，但这不太可能。既然不可能完全杜绝民事违法的发生，就应尽量减少或者预防。但是如何减少或者预防发生违法行为呢？方法有二：第一，通过民事责任的方式来达到。依据《中华人民共和国民法典》(《民典法》)的规定，具有预防功能的民事责任方式主要有排除妨碍与消除危险两种。本书认为除了排除妨碍和消除危险外，还有停止侵害。通过这些责任方式可以预防或减少民事违法行为的发生。第二，民事责任威慑欲进行违法行为人，使其意识到民事违法行为的严重不利后果而谨慎从事。当然民事责任的威慑作用主要体现在民事责任的惩罚功能和补偿功能。通过民事责任的补偿功能(赔偿损失)使违法行为人意识到要对自己的违法行为付出代价即违法要受到惩罚。受到惩罚后，使违法行为人和其他欲违法的行为人谨慎、合法从事，从而减少违法行为。因此，这三种功能是相互联系、相辅相成的。

上市公司退市的功能主要表现如下：预防功能、惩罚违法行为的功能、协助市场管理功能。

(一)预防功能

所谓预防功能，就是通过民事责任机制的建立和运行，预防损害公民和法人的合法民事权益的现象发生。预防功能在于"防患于未然"，是一种积极的功能。民事责任机制首先是预防民事违法行为的发生。根据刑法的预防理论，预防可分为一般预防(general deterence)和个别预防(specific deterrence)，前者是指通过对犯罪人适用一定的刑罚，使之永久或者在一定期间丧失再犯能力；后者是指通过对犯罪人适用一定的刑罚，而对社会上的其他人，主要是指那些不稳定分子产生的阻止其犯罪的作用。上市公司退市的预防功能通过民事责任机制的建立和运行，使在证券市场中侵害投资者的违法行为减少了发生。上市公司退市的预防功能主要表现在两方面：其一，当证券侵权发生之时，当事人可向侵权人要求或向法院提起诉讼要求侵权人停止侵害，预防违法行为的进一步发生；同时《证券法》一般都规定侵权人须向受害的投资者赔偿损失，巨额损失的赔偿使证券违法者付出沉重的代价，这将促使违法者和潜在的违法者在证券市场中谨慎行事。正如美国第九巡回法院指出："我们想不出有什么会比允许受证券欺诈的出售者或购买者向联邦法院寻求损失赔偿，更能打击确立的商业市场之外和违反政府规章的交易，能更确定地阻止证券交易中的欺诈行为从而使该法更加'合理、完善和有效'。""就被害人之损害，如何依法均予填补；相对地，对加害人之行为均可依法予以求偿，则任何证券交易之参与者均将注意其行为是否违法，并进而遵守法令之规定，此即所谓民事责任规定之预防机能……对因内部人利用内部消息之交易而受到损害之人，赋予其三倍于损害之请求权，此亦为吓阻不法行为，以期达到预防之机能。"

（二）惩罚违法行为功能

对于民事责任的惩罚功能，学术界有争论。法律责任的惩罚功能，就是惩罚违法者和违约人，维护社会安全与秩序。在人类社会早期，以复仇或报复为形式的惩罚是主要的解决侵害、冲突和纠纷的方式。这种具有野蛮性、自发性的惩罚方式也是一种最古老的保护利益和维护权利的方式。如前所述，古代社会的民事责任和刑事责任不分，并有明显的惩罚色彩。正如美国法学家庞德指出的："以复仇报复为形式的惩罚是一种最古老的保护利益和维护权利的方式。……当罗马人想到对损害的赔偿时，他们所想到的是一种赔偿的刑罚。"后来随着社会的发展，民事责任从刑事责任中分离出来，成为一种独立的法律责任。"随着社会的发展，人们以公共权力为后盾，由公民个人或国家机关根据法律程序要求行为人承担不利的法律后果，以惩罚违法侵权者和违约人，从而以文明的方式平息纠纷和冲突，维护社会安全和秩序。"民事责任主要不是一种惩罚责任，但它也执行惩罚的功能，具有惩罚的内容。"总而言之，民事责任所具之功能，主要为复原之功能，除此之外，尚有预防之功能及惩罚之功能，但因二种之功能并不彰显，故而殊少受到重视。"在证券市场中，民事责任中的巨额赔偿往往会给当事人造成很大的负担，可以有效地惩罚他们。

惩罚违法行为，是民事责任最直接、最明显的功能。其实质在于通过对受害者的损失进行弥补后，使其结果如同损害事故没有发生。"复原之功能，在于使被害人重新处于如同损害事故未曾发生时之处境。"民事责任则重在消除违法行为的后果，使当事人之间因违法行为而失衡的利益关系得以恢复原状，使受害人的利益得到救济。"任何违反法令而致投资人受损害者，该被害人所关心者为是否得依法令填补其所受之损害，而证券交易法各民事责任之规定，亦均为：对……所受之损害，应负赔偿责任。此与民法损害赔偿之原理一致，则该等规定确有赋予被害人损害赔偿请求权之功能。"填补损害之补偿功能是民事责任所独有的，刑事责任和行政责任不具有该功能。在证券市场中，证券刑事责任和行政责任制度虽然对证券违法行为进行打击，维护证券市场秩序，但对受害者来说，他们关心的是自己的损害如何弥补。"投资大众所关心的是能否获得投资利润，亦即仅从经济观点着眼；追究违法者的刑事责任或行政责任，对受害者而言，并无所增益。"只有投资者损失得到补偿，投资者对证券市场充满信心，证券市场才能真正繁荣。我国上市公司退市还具有优先受偿的特点，《证券法》第93条规定："发行人因欺诈发行、虚假陈述或者其他重大违法行为给投资者造成损失的，发行人的控股股东、实际控制人、相关的证券公司可以委托投资者保护机构，就赔偿事宜与受到损失的投资者达成协议，予以先行赔付。先行赔付后，可以依法向发行人以及其他连带责任人追偿。"

（三）协助市场管理功能

证券市场是个高风险的市场，涉及众多社会公众投资者的利益，由于利益机制的驱使，在上市公司退市时，某些不法分子为了减少自己的损失或获取巨额利益，铤而走险，侵犯他人的合法权益，扰乱证券市场秩序。因此，只有建立有效的市场监管体制，才能维持证券市场的健康发展。不同的国家由于其政治、经济和传统不一样，证券监管体系可分为政府监管和自律监管。政府监管是国家证券主管机关或者证券监管执行机构根据证券法规，对证券发行和交易实施的监督与管理，以确保证券市场有序运行。而自律监管主要是自律组织即证券交易所、证券业协会等根据证券法律法规进行自我监督。政府监管是证券行政监管机构利用法律赋予的权力进行的一种强有力的监管，在维护证券市场秩序，查处证券违法行为中起了重要的作用。但由于行政机关人力物力有限，难以使每项法律得到贯彻执行，使每一位当事人均得到全面有效的保护。美国法院反复考虑的一个主题是美国证监会没有足够的资源监视证券业和监控所有犯罪。公共执行必须以私人执行为补充，否则法规禁止的行为就会免受惩罚，其带来的损失也得不到补偿。根据"芝加哥学派"的理论，监管通常有害于公众的利益，使受监管者赢利。当监管设计和实施有利于某行业时，该受监管的行业则会向他们提供可观的回报。对监管者来说，当他们离开监管职位后，他们可能会在受其监管的行业中寻求一份好的工作，得到直接的回报。而且监管者常常来自产业部门，他们当然和产业部门的管理人员有交往，他们往往用相同的思维方式来考虑问题。因此监管有害于公众利益，使生产者（受监管者）赢利。按照该理论，证券监管也可能有害于公众，使受监管者即上市公司、证券公司等赢利。虽然该理论有点偏激，但也在某种程度上道出了政府监管的一些缺点。而对于自律监管，虽然在一定程度上能防止违法行为的发生，但由于自律监管组织从自身利益出发，不能完全防止违法行为的发生。相对于证券行政监管机构的公共执行来讲，私人执行监管具有一定的优点。评论家科菲认为，私人执行有三个好处：第一，私人执行更有效率，意思是执行费用由市场调节，资源可以更快地调派来应付需求。第二，私人执行对被告更公平，因为原告地位与他相同。第三，法律规范不取决于公共执行者的流行心态或预算限制，社会可以对可接受或不可接受的行为发出清晰的信号。美国学者Bloomenthal也曾说过："假如我们按证券管理委员会依据联邦法律所发动的程序（即请求签发禁止令）进行刑事诉讼程序，与私人的民事赔偿诉讼相比较，那么显而易见的是，私人赔偿诉讼对联邦法律的执行是效率卓著且不可或缺的。"因此，对于证券市场的监管应不限于政府监管，应让广大投资者参与监管。"由个人利益推动的人会更热衷于找出过错者。"投资者从自身利益出发，密切关注证券市场，发现违法行为便通过正常渠道，主要是提起民事诉讼追究违法者的民事责任，来参与证券管理。"民事责任之规定确有吓阻不法，而预防并矫治侵害行为之机能，如所有之被害人皆能借民事责任之规定，而列举该等不法之行为，则证券交易必可维持稳定之秩序，故民事责任之规定及其适用，确有协助管理市场之机能。""且受害人对其交易之利害关系最为熟稔，自愿依法提出告诉，而如市场之警察，协助主管机关管理市场。"我国台湾学者余雪明也说："民事责任之意义不仅在使受害者得到赔偿，更有私人协助政府执法之意义，由于民事责任之巨，可使犯者三思而后行，故吾人对提起诉讼者不宜以好讼目之，而应视为志愿协助政府维持市场秩序。"

第二章　上市公司退市的规则

在安排我们的事务时，应当尽可能地运用自发的社会力量，而尽可能少地借助强制，这个基本原则能够做千变万化的应用。

——弗里德里希·奥古斯特·冯·哈耶克

上市公司退市机制是证券市场制度体系中的重要环节和组成部分。它对于证券市场提高资源分配、实现自我净化、平衡供求关系具有重要意义。我国在 2005 年改革后的《证券法》对我国上市公司退市规则进行了修订，旨在强化上市公司退市的标准，该制度的导入参考了域外的成功经验，在理论上也获得了极高的评价。但褒扬并存的同时，在具体的实务操作中如何贯彻该种制度，人们的担忧颇多，困惑频频。这些担忧有些映射了制度本身的缺陷，有些则触及制度构造的根基。

一般而言，对上市公司退市制度的研究主要包括上市公司退市的规则、监管和法律责任，本章以我国上市公司退市规则为研究视角，分析我国上市公司退市制度的困境，同时，通过考察成熟国家上市公司退市制度的经验，结合我国证券市场立法动向进行可行性分析，进而为我国上市公司退市制度的发展提供路径。

第一节　我国上市公司退市规则的现状

在上市公司退市体系中，退市规则是其核心。上市公司退市的规则，主要是指全国人大或者其他被授权机构制定的一系列的退市法规和规章，规定上市公司退出市场的规则。上市公司退市规则的理论经过多年的发展，逐步走向成熟，为我国上市公司退市制度提供了理论支持。

一、我国上市公司退市现行规则状况

我国上市公司退市现行规则，主要为《证券法》、中国证券监督管理委员会关于上市公司退市的规定，以及上海、深圳证券交易所关于上市公司退市的规定。

(一)我国《证券法》关于上市公司退市规则的规定

我国《证券法》第 48 条明确规定：上市交易的证券，有证券交易所规定的终止上市情形的，由证券交易所按照业务规则终止其上市交易。按照该规定，上市公司退市规则，

《证券法》授权于证券交易所，证券交易所按照《证券法》的规定，细化上市公司退市规则。

（二）中国证券监督管理委员会关于上市公司退市的规定

中国证券监督管理委员会于 2001 年 2 月 22 日发布了《亏损上市公司暂停上市和终止上市实施办法》（以下简称《办法》），对上公司暂停上市和终止上市的情形分别做了更为具体的规定。主要体现在以下两个方面：一是上市公司出现连续亏损的情形，二是暂停上市的公司在宽限期内年度会计亏损的情形。

鉴于上市公司退市问题，中国证券监督管理委员会于 2001 年 11 月 30 日又发布了新修订的《亏损上市公司暂停上市和终止上市实施办法（修订）》（以下简称《实施办法》），重点在暂停上市和终止上市的批准权限、批准程序和股票交易等方面，对原《办法》进行了重大修改。

（三）我国上海、深圳证券交易所关于上市公司退市的规定

证券交易所有关上市公司退市的规定，是在各证券交易所的《股票上市规则》中加以规定的，涉及上市公司退市的只有"特别处理"和"暂停、恢复和终止上市"，对上市公司退市规定的内容十分详细具体，具体体现在退市风险警示、暂定上市和终止上市三个方面。此外，针对退市风险警示、暂停上市、恢复上市以及终止上市，上海、深圳证券交易所的《股票上市规则》还有极为详细的上市公司信息披露等一系列程序性规定。

相比之前的退市制度，新出台的规定更为具体、合理。例如，针对证券市场上"僵尸"上市公司长期存在等突出问题，新增的净资产、营业收入等相关财务指标，以及前期差错追溯重述、非标准审计报告等相关条款使得退市标准更具有可操作性；同时，也借鉴了国际证券市场的通行做法，新增加了股票成交量、成交价格两个市场交易方面的退市标准，进一步防止上市公司通过各种手段规避退市。此外，对恢复上市和重新上市等环节设立更细致的标准，以期达到明确市场预期、抵制对"壳资源"的炒作的目的。如在上市公司退市程序方面，深圳证券交易所实施了"退市整理期"制度，即在做出上市公司股票终止上市的决定后，给予公司股票 30 个交易日的"退市整理期"，其可在"退市整理板"进行交易。上市公司股票终止上市后，可转入全国性的场外交易市场或符合条件的区域性场外交易市场挂牌转让。这些制度使得退市程序中实施主体的职责分工更加明确，退市及恢复上市的时间安排更加清晰。

（四）其他规范性文件的相关规定

2001 年 6 月，中国证券业协会颁布了《证券公司股份转让服务业务试点办法》，以解决公司退市后的股份流通问题，同年 11 月，又颁布了《股份代办转让公司信息披露实施细则》，用以解决公司退市后股份流通相关的信息披露问题。2004 年 11 月中国证券业协会根据中国证券监督管理委员会《关于做好股份有限公司终止上市后续工作的指导意见》，颁布了《关于做好代办股份转让系统股份转让公司非转让股份登记业务的通知》，以确保

做好股份转让公司非转让股份登记申报业务，保护投资者权益。

中国证券监督管理委员会于2003年3月发布了《关于执行亏损上市公司暂停上市和终止上市实施办法（修订）》，明确了公司股票终止上市后转至股票代办系统的程序，解决了公司股票退市后"如何转至代办系统"的问题，对可能终止上市公司的股票交易和股东权益的保护做出了制度性的安排。

2004年2月，中国证券监督管理委员会根据《国务院关于推进资本市场改革开放和稳定发展的若干意见》的精神，颁布了《关于做好股份有限公司终止上市后续工作的指导意见》，对上市公司终止上市后保护投资权益、转让股份、资产重组和申请再次上市等事宜提出指导性规范意见。

2012年4月，中国证券监督管理委员会出台了《关于改革和完善上市公司退市制度的意见》，该《意见》继承了2004年中国证券监督管理委员会出台的《国务院关于推进资本市场改革开放和稳定发展的若干意见》的基本思路，明确了上市公司终止上市、重新上市等的实施办法。

2014年2月7日，中国证券监督管理委员会审议通过了《关于改革完善并严格实施上市公司退市制度的若干意见》（以下简称为《意见》），并于2014年11月16日起实施。该《意见》提出，我国证券市场要健全上市公司主动退市制，实施重大违法强制退市制度，并严格执行体现公司财务状况的强制退市指标，同时要加强退市公司投资者合法权益的保护。该《意见》为我国上市公司退市改革提出了纲要，同时也为进一步完善我国上市公司退市制度提出了标准，完善我国上市公司退市制度，有利于健全我国资本证券市场，同时也能够降低市场经营成本，增强市场主体活力，提高市场竞争力。

二、我国上市公司退市规则的现实困境

我国证券市场经过多年的发展，取得了极大成就，但是上市公司退市制度监管体系、规则上的缺失，造成我国上市公司退市规则存在不少问题，我国上市公司退市规则应当设置多元的法定退市标准，强化退市程序，提供退市规制的执行力度，以推进我国上市公司退市制度发展。

（一）我国上市公司退市标准不够科学，不利于发挥上市公司退市功能

由于我国证券市场的发展历史较短，证券市场不是很完善，我国上市公司退市制度也不够健全。目前，我国上市公司退市标准设置得不够科学，已经严重影响到上市公司退市制度。我国1990年、1991年分别在上海、深圳成立了证券交易所，但是，我国证券市场的退市制度直至1993年，在《公司法》中才初次涉及上市公司退市的法律制度，后经几次修改，把上市公司退市标准转移到《证券法》中，在2020年1月22日，新修订的《证券法》，把上市公司退市规则授权给了证券交易所，具体由证券交易所制定上市公司退市规则。但是，仍然存在很多缺陷，使得我国证券市场呈现出"只进不退"的现象。作为上市公司退市制度的核心，我国上市公司退市标准存在的不足主要表现在以下几个方面。

1. 上市公司退市标准不够明确，缺乏可操作性

我国《证券法》第 48 条规定："上市交易的证券，有证券交易所规定的终止上市情形的，由证券交易所按照业务规则终止其上市交易。证券交易所决定终止证券上市交易的，应当及时公告，并报国务院证券监督管理机构备案。"我国早在 1994 年的《公司法》第 157条、第 158 条规定了上市公司退市的标准，其中有关于上市公司退市规制包括"上市公司有重大违法行为，由国务院证券管理部门决定暂停其股票上市"的规定。但是，在 2005年修订《公司法》《证券法》时，把上市公司退市相关规定转移到《证券法》中，并且只将其作为暂停上市的标准，而没有将其作为退市标准。此次修订，导致一些出现重大违法行为的上市公司由于没有法律规定而不退市，造成极大的负面影响。同时，对于何为"重大违法行为"也没有具体规定，上市公司的董事、监事、控股股东及高级管理人员出现违反证券法律的规定，违法经营、未按照规定进行信息披露，都有可能对上市公司的经营、投资者的利益产生影响，但是《证券法》未对"重大违法行为"进行具体规定，导致违法退市的公司无法执行，造成投资者利益受到损害。

2. 上市公司退市标准容易被规避，造成无法有效实施

我国《证券法》第 48 条明确规定，上市交易的证券，有证券交易所规定的终止上市情形的，由证券交易所按照业务规则终止其上市交易。这样规定是把上市公司退市的标准授权给证券交易所，证券交易所退市标准，缺乏对亏损程度以及对上市公司退市原因的认定，显然缺乏科学性。因此，在对上市公司退市制度进行完善时，要重点对这一规定进行修改，制定更为科学的规定。

3. 上市公司退市标准过于单一，不够多元化

上市公司退市标准过于单一，不够多元化，主要存在以下两个方面原因：一是我国上市公司退市标准中缺乏对上市公司资产规模的具体规定。公司资产状况，是判断公司业绩的重要标准，也是考察上市公司是否能够具备上市资格的重要的标准之一。成熟证券市场的退市标准中，都是将上市公司的总资产状况列为核心的退市标准。我国上市公司退市标准中没有规定公司资产状况，这使得对上市公司退市考核的标准缺乏一个衡量标准。因此，我国上市公司退市标准中应当对公司资产状况这一标准进行完善。二是我国上市公司退市标准中对非数量标准规定不全面。非数量标准，主要是涉及公司的运营状况、信息披露等法律法规的要求。我国现行的退市制度在非数量标准要求方面，主要是针对"虚假记载"而规定的，缺乏运行状况、信息披露等非数量标准。因而，我国在完善退市标准时，还是要加大对非数量标准的完善。

（二）我国上市公司退市程序规定不够全面，不利于发挥上市公司退市制度的效用

我国上市公司退市程序，主要规定在《亏损上市公司暂停上市和终止上市实施办法（修订）》中，《实施办法》是中国证券监督管理委员会于 2001 年 11 月 30 日发布的，是对中国证券监督管理委员会于 2001 年 2 月 22 日发布的《亏损上市公司暂停上市和终止上市

实施办法》的补充规定，该《亏损上市公司暂停上市和终止上市实施办法（修订）》实施以后，虽然也取得了一定的效果，如推动了数家亏损上市公司的退市，但由于该《实施办法》本身存在一些问题，使得仍不能适应市场发展的需要，具体如下：

1. 上市公司退市程序主要是针对因亏损而退市的公司

上市公司退市的原因有很多种，不仅仅是因为亏损才选择退市，如上市公司防止被其他公司兼并、股份回购、公司破产或者公司自愿退市等原因。因退市原因的不同，应当适用不同的退市程序。但是，我国上市公司退市制度中没有对此进行分类，也无相关的具体规定，只是简单地规定了上市公司因亏损而退市的情况作为上市公司退市的主要标准，并且制定了相应的程序，该程序已经无法满足其他原因而退市的要求。因此，我国上市公司退市制度应当在此方面加以完善。

2. 上市公司上市和终止上市的审批权

2001年2月22日，中国证券监督管理委员会发布了《亏损上市公司暂停上市和终止上市实施办法》规定，亏损上市公司的股票暂停上市由中国证券监督管理委员会授权交易所决定，恢复上市由发行审核委员会审核、中国证券监督管理委员会核准，终止上市则由中国证券监督管理委员会决定。而按照《亏损上市公司暂停上市和终止上市实施办法（修订）》第一章第3条的规定，亏损上市公司股票的暂停上市、恢复上市或终止上市的决定权，全部由"证券交易所依法决定"，由此可以发现，上市公司上市和终止上市的审批权下放给了证券交易所，但同时规定，证券交易所在做出上市决定后的2个工作日内应向中国证券监督管理委员会备案，并且中国证券监督管理委员会有权对证券交易所的决定做出予以纠正或直接撤销的决定。虽然规定了上市公司上市和终止上市的审批权由证券交易所决定，但是，缺乏正式的法律规范，我国在完善上市公司退市制度时，应当把上市公司上市和终止上市的审批权规定到《证券法》中，为下位法提供法源。

3. 上市公司股票暂停上市后的宽限期过短

上市公司股票暂停上市后的宽限期6个月的规定，期限过短，在短期内，上市公司很难真正实现扭亏为盈。

中国证券监督管理委员会制定的《亏损上市公司暂停上市和终止上市实施办法》规定，公司股票暂停上市后可以在45天内向证券交易所申请延长暂停上市的宽限期，宽限期为自暂停上市之日起6个月。《亏损上市公司暂停上市和终止上市实施办法（修订）》没有规定宽限期的条款，但第15条规定，上市公司在法定期限结束后仍未被披露暂停上市后第一个半年度报告的，证券交易所应在法定期限结束后10个工作日内做出上市公司股票终止上市的决定。按照这条规定，上市公司股票暂停上市的最长期限应当是6个月。这个规定时间过短，同时可能造成两种情况发生：一是公司在6个月内实现扭亏为盈，是极为困难的事情，即使实现盈利，也是微利，因这样的微利而再次上市，对公司而言，并不能改变再次亏损的可能；二是公司为了尽快恢复上市，极有可能选择会计造假，实现账目盈利。由此可见，上市公司股票暂停上市后的宽限期6个月的规定，并不是一个有利于上市公司长久发展的规定。因此，在完善我国上市公司退市制度中，要适当考虑延长暂停上市后的宽限期。

（三）我国上市公司退市规则相关的配套制度不完善

在证券市场中，完善的上市公司退市制度，不仅包括完善的退市标准、程序，还应当具备完善的与退市相关的配套制度，而我国在上市公司退市的配套制度方面极为不完善。

1.欠缺科学的多层证券市场体系

目前，我国的证券交易市场包括沪深主板市场、深圳中小企业板市场、深圳创业板市场，和以原代办股份转让系统、中关村科技园区代办股份转让系统、天津滨海新区非上市公司股权交易市场为代表的三板市场；债券与固定收益产品市场包括全国性银行间债券市场和上海证券交易所的债券市场；金融衍生品交易方面，也设立了金融期货交易所。

然而，我国交易市场存在严重类同化的问题，不同市场对自身定位缺乏清晰的认识。以证券市场为例，首先，中小企业板和创业板市场的发行和交易制度几乎成为主板市场的翻版，仅在上市条件上有所下降，类似主板化问题导致资本市场的重复建设和资源浪费；其次，我国目前没有严格意义上的三板市场。代办股份转让系统采用投资者指令驱动的集合竞价交易制度，主要为退市后的上市公司股份和原全国证券交易自动报价系统、NET系统历史遗留的公司的法人股提供继续流通的场所，不能完全视为非上市公司股份交易平台的基本功能。中关村科技园区代办股份转让系统虽引入证券商报价机制，但其对非上市公司股东人数的限制规定严重制约了交易规模的扩大，削弱了交易投资的活跃程度，未来必须进行变革，否则也难以担负三板市场所应有的功能。分散各地的产权交易中心以实物产权为主要交易对象，而未来的三板市场应当是全国性、电子化的场外交易市场，其交易对象必须是可以自由流动的股权。事实上，目前对创业板、三板市场的制度建设仍旧沿袭了《证券法》修改以前以场内交易为核心的思维模式，这种单层次的市场结构使证券交易集中在交易所内进行，形式上虽有利于监管部门持续资本市场的稳定，但同时造成我国股票供给和需求的矛盾突出，股票发行价过高的局面。

2.上市公司退市民事责任赔偿制度不够完善

早在制定证券法时，就有学者提出，退市需要民事赔偿机制作补充。毫无疑问，将退市风险的绝大部分责任推给广大的投资者承担，而有过错的一方得以逃避，这是不公平的。

中小投资者在退市过程中是弱势群体，因此，在上市公司退市制度中，应当辅以相应的制度安排，重点保护中小投资者。而在我国当下的民事制度赔偿体系中，只有我国《公司法》确立了股东诉讼制度，即如果公司的董事和经理没有履行或者没有完全履行对公司和股东所负有的忠实与勤勉义务，就要承担赔偿损失的责任。在股东权益保护比较充分的法律制度下，中小股东在遭受大股东侵害时，可以要求其赔偿。但是，在《证券法》第163条规定的文件出具义务中，证券服务机构出具的审计报告、资产评估报告、财务报告等出现虚假记载、误导性陈述或者重大遗漏等情况，给他人造成损失的，应当与发行人、上市公司成连带责任。因此，如果会计师、律师、证券承销商等中介机构没有尽到查核的责任，没有起到中介保障作用，也要受到相应的处罚。可是，在责任主体的赔偿能力上，出现了争议，在我国，绝大多数服务机构是以合伙形式成立，实际并无力承担赔偿责任。因此，在上市公司退市中，要保证有过错的相关人员、机构承担责任，还需要从多方面进行改革和完善。

综上所述，我国上市公退市制度已建立了相关的法律制度，但是，无论是从理论方面，还是从具体的运行方面，都是存在诸多的缺陷。随着我国证券市场的蓬勃发展，未来上市公司退市的会逐步增多，如果上市公司退市标准还是不加完善，会严重威胁到整个证券市场平稳进行。因此，上市公司退市的配套制度还是需要进一步完善。

第二节　成熟证券市场上市公司退市规则的借鉴

在经济全球化的浪潮中，各国或地区证券市场上市退市规则彼此之间相互借鉴、融合，由于各国或地区历史、文化、社会、法律、经济等传统的不同，存在很大的差距。因此，各国上市公司退市规则程序有着自身特色，本节主要以美国、英国、日本等成熟证券市场上市公司退市规则进行归纳，发现其特点，并与我国上市公司退市规则进行比较。

一、成熟证券市场上市公司退市规则的内容

当前，国际成熟的证券市场主要有：美国的纽约证券交易市场和纳斯达克证券市场、英国纽约证券市场、日本东京证券市场等，如表2-1至表2-4所示。对于上市公司退市规则而言，退市规则大多由证券交易所制定，并且都有各自证券交易所的显著特点。

美国纽约证券交易所《上市规定》第499条规定，证券交易所可以在任何时间将一只股票暂停或终止上市，并列出了暂停和终止上市的标准和程序。

英国对证券发行人的监管职责主要是由英国上市委员会负责，该委员会过去是伦敦证券交易所的一部分，1997年10月被纳入英国金融服务管理局，2005年，金融服务局接管了伦敦证券交易所的上市公司的监督权，英国上市公司退市规制主要有《金融服务业市场法》和英国金融服务管理局上市部出台的《上市手册》规定。

日本有两大证券交易所，即日本东京证券交易所和大阪证券交易所，其上市公司退市的规则也是由证券交易所制定的，东京证券交易所有一板和二板两个市场，所有新上市公司均在二板上市，只有一些规模大、流动性高的公司才能转让一板，但如果不能满足一板的持续上市要求，会被降到二板。

表 2-1 美国纽约证券交易所的退市规则一览表

证券市场	上市公司退市标准	上市公司退市程序
纽约证券交易所	资本或普通股的分布标准：股东人数少于 400 个；股东人数少于 1 200 个并且在最近 12 个月内平均交易量低于 10 万股；社会公众持有少于 60 万股，其他由公司经理、职员和他们的直系亲属持有的股票，以及集中持有超过 10% 的股票，将不被认为是公众持有的股票。 资本或普通股的数量标准：连续 3 个月平均总市值少于 5 000 万美元，且全部股东权益少于 5 000 万美元。或者公司连续 3 个月的平均总市值少于 5 亿美元且最近 12 个月的总收入少于 2 000 万美元；或连续 30 个交易日的平均总市值少于 1 亿美元。 价格标准：若上市公司的股票连续 30 个交易日收盘价格低于 1 美元，将被视为低于标准。在收到通知后，公司必须在 6 个月内将股价和平均每股价格恢复到高于 1 美元的水平	交易所决定让某股票退市时，会书面通知上市公司，并解释做此决定的政策及其依据，交易所会公开披露公司的状况，并开始每日发布股票信息，通知确认股票的状况。 如果上市公司不要求在特定期内复核，交易所将停止交易该股票，如果被申请复核，复核程序将在被申请交易所秘书处建文件后的至少 25 个交易日开始启动，双方提交摘要和相关材料给对方和交易所总委员会办公室。如果委员会决定证券发行者应该退市，一旦实施，交易所将立即停止交易，同时会将股票的信息在报纸上刊登，并在网站上公告。如果交易所认为股票不应该退市，发行人会收到该决议的通知

表 2-2 美国纳斯达克证券交易所的退市规则一览表

证券市场	上市公司退市标准	上市公司退市程序
纳斯达克证券交易所	纳斯达克全球市场的退市标准共有三类不同的选择标准，与此相对应的，该市场的持续上市数量标准也设了二类选择标准。 第 I 类标准：一是公众持股量不少于 75 万股；二是公众持有的股票市值不少于 400 万美元；三是发行人的净有形资产不少于 400 万美元；四是持有 100 股（100 股为一手）以上股票的股东数量不少于 400 名；五是股票最小报价为 1 美元；六是至少有 2 个做市商。 第 II 类标准：一是股票市值不少于 5 000 万美元或最近一个完整的财政年度或最近三个财政年度中的两个年度的总资产和总收入均不少于 5 000 万美元；二是公众持股不少于 110 万股；三是公众持有的股票市值不少于 1 500 万美元；四是股票最小报价为 5 美元；五是持有 100 股以上股票的股东数量不少于 400 名；六是至少有 4 个做市商	纳斯达克证券交易所的退市程序采用聆讯制，上市公司在接到退市通知后 45 天内，如有异议，有权逐级提出上市，首先是纳斯达克证券交易所上市资格审查部门；其次是纳斯达克证券交易所聆讯小组；然后是纳斯达克上市与停止审查委员会；最后由美国证券交易委员会进行最终裁决

表 2-3　英国伦敦证券市场的退市规则一览表

证券市场	上市公司退市标准	上市公司退市程序
英国伦敦证券交易市场	至少有三年的经营记录，并有经过独立审计的财务报表，该财务报表为合并报表，其中应包括申请人的其他附属企业； 必须有适当的有经验的管理层的管理，并保证这些管理人员在责任和个人利益上与公司的责任和利益无冲突； 如果公司内有控股股东，公司必须在任何时候都能够不受控股股东影响地进行其商业活动。所谓控股股东是指拥有或控制股东大于30%或更多投票权的人，或是能够控制对公司董事的任命有表决权的人； 发行股票的总市值不少于70万英镑； 社会公众股票所持有的已发行股份的比例不少于25%，在股票总额较大的情况下，可以考虑公众持有的比例低于25%，如果仍能保证市场充分运作的话，下列人员直接或间接所持有股票，将不被视为是公众持有的股票：公司或其附属企业的管理人员以及与这些管理人员有关的人员，为公司或其附属企业所建立的职工持股项目或养老基金的托管人，根据任何协议有权提名一个人进入公司董事会的人，持有的股票等于或超过5%的股东	任何时候当上市公司证券影响到市场正常运行或者给市场带来危害（Jeopardized）时，英国金融服务管理局为了保护市场投资者的利益，有权决定暂停该股票的交易。一旦英国金融服务管理局要求暂停或者终止某股票上市交易，应当通知上市公司。通知主要包括以下内容：一是暂停或者终止上市的原因和暂停或终止发生效力的时间；二是提醒证券发行人在通知规定的时间内向管理当局进行申诉；三是告诉证券发行人其有权利向初等法院或高等法院上诉。 如果发行人向英国金融服务管理局进行申诉，英国金融服务管理局可以对其证券暂停或者终止的期间进行延期。上市公司认为英国金融服务管理局的决定不当时可以上诉到法院，并根据法院规则暂缓英国金融服务管理局的决定生效，直到上诉审判过后，法庭可以考虑任何与上诉有关的事项，无论是否跟决定有关，法庭必须裁定上诉事项是否属于合法行为，主管机关必须根据法院的裁定做出行政决定。如果考虑证券市场已经平稳运行并且不再有危害，或者不需要对投资者保护而暂停股票交易，英国金融服务管理局可以考虑恢复已经暂停上市的股票，无论公司是否申请，如果股票已经暂停或者终止交易，公司可以向英国金融服务管理局申请再恢复上市

表 2-4 日本东京证券市场的退市规则一览表

证券市场	上市公司退市标准	上市公司退市程序
日本东京证券交易市场	股东数目：股东数目小于 400 人（1 年宽限期）。由"特殊少数"股东持有的股票比例； 在股票数量少于 6 万单位时，在上市后第一个工作年度结束时不超过股票总数的 75%；股票数量在 6 万至 10 万单位时，不超过股票总数的 87.5% 再减去 7 500 单位；在股票数量超过 10 万单位时，不超过股票总数的 80%；在股票数量超过 10 万单位时，不超过股票总数的 80%； 持有至少 1 单位股票的股东，不包括"特殊少数"的股东数量。若上市股票数量少于 1 万单位，则不少于 800 人；若上市股票数量 1 万至 2 万单位，则少于 1 200 人；在 2 万单位的基础上，股票数量每增加 1 万单位，股东人数应增加 100 人，直至股东人数增加至 2 200 人； 最近一年的平均月交易量少于 10 单位，或是最近 3 个月无交易；市值少于 10 亿日元；最近 2 年连续过度负债；公司银行账号由于拒付而被中止；公司中止其业务活动；公司合并后不符合上市标准或经营恶化；财务报告或半年财务报告有严重虚假陈述；严重违法上市协议；按照法律规定公司需要重组或清盘；公司对其股票的转让实行限制；交易所出于公众利益和保护投资者的考虑认为需要退市	当上市公司低于持续上市标准时，证券交易所将对其进行特殊处理，并要求其在期限内重新达到上市标准；如果公司在期限内未达到标准，证券交易所将对其做出进一步的限制，如果公司在期限内仍未能达到标准，则将其摘牌。 在证券交易所宣布终止公司上市决定后的 3 个月内，该股票仍可以在证券交易所交易，3 个月后则正式退市。大部分退市都是由于公司重组或流动性原因，退市决定由证券交易所执行董事做出，该决定是不可上诉的，过去上市和退市都需过大藏省的批准，现在只能是备案

二、成熟证券市场上市公司退市规则的宏观比较

(一)英美法系国家上市公司退市规则比较完善

对比世界各国的上市公司退市规则，我们可以发现，英美法系国家的上市公司退市规则，特别是美国的上市公司退市规则比较完善，其具体表现为：第一，英美法系国家证券法律制定较多，尤以美国为最，美国的证券法律不但有联邦制定法，各州也制定证券方面的法律。而以英国为首的英联邦国家虽然未必有统一的《证券法》或《证券交易法》，但其规制证券违法的条文分散于《公司法》或《贸易法》等相关法律中。第二，上市公司退市规则方面的内容明确地规定在法律中，英美法系国家法律明确地规定上市公司退市规

则的构成要件、责任承担主体、损害赔偿请求人、免责事由等内容。第三，在英美法系国家，遭受损害的投资者除了可以根据证券法律提起诉讼外，还可以根据普通法等寻求保护。在联邦制国家，受害者还可以根据各联邦或州的证券法律提起诉讼。在美国受损害的投资者还可以根据默示的诉权提起诉讼。第四，在英美法系国家，法官可以在审判实践中创制法律，突破一些难点。在英美法系国家，上市公司退市规则民事责任比较完善，救济途径多种多样。

几乎在所有国家里，对上市公司退市规定最完善的是虚假陈述的民事责任，特别是申请登记文件和招股说明书虚假陈述的民事责任。很多国家仅仅规定虚假陈述的民事责任，对内幕交易和操纵市场的民事责任却未做规定。换而言之，各国对发行市场的信息披露极为关注，因为各种证券侵权行为几乎都和证券信息的披露有关，同时内幕交易和操纵市场两种行为更加隐蔽，较难认定。

在对上市公司退市规定的立法体例上，总的分为两种，第一种是在证券法律法规上不规定民事责任或者规定极少，即使有规定也非常规原则，相关内容适用民法或商法，中国、德国属于这一种；第二种是在证券法律法规中直接规定民事责任的具体内容，同时也适用民法和其他法，这以美国为典型。相比较而言，第二种立法体例更为合理，因为通过立法方式规定上市公司退市的具体制度和适用，而不再通过合同法或侵权法进行一次次的演绎推导，这样就可以避开合同法和侵权法中的一些难题，诸如信赖关系、因果关系、主观心态的证明等问题。同时"简单重复的推理过程事实上也是一种浪费，导致诉讼的积压和诉讼费的增加"。

相比较而言，美国的上市公司退市制度从总体上看最为完善，但有些方面也不尽如人意，如《证券法》第11条赔偿额的计算。日本和中国台湾地区的证券法虽然仿照美国，但有些方面的规定更为合理；中国香港对虚假陈述中的受害者的保护方式较多；英国对虚假陈述中民事责任的免责事由规定得非常详细。世界各国和地区的法律制度各有其优点和缺点，因此应该相互学习、借鉴，取长补短。

(二) 大陆法系国家的上市公司退市制度有待完善

大陆法系国家和地区，虽然个别国家和地区的证券法律比较完善(如日本和我国台湾地区)，但从总体上看，上市公司退市制度还是较为逊色。具体表现为：第一，虽然大多数大陆法系国家制定了证券法律，但是其中对上市公司退市的规定较少，即使有规定也是非常笼统，操作性不强。有些国家(如德国、法国、西班牙)对证券侵权民事责任规定极少，虽然可以依照民法侵权方面的规定提起诉讼，但是根据大陆法系民法理论来解释上市公司退市是非常困难的，因为大陆法系的法条是高度抽象的概括物、比较原则。对证券侵权因果关系的证明、损害的确定等问题都是大陆法系民法理论面临的新问题，即便是日本和我国台湾地区，对于这些问题也深感头痛。例如，日本司法实践对内幕交易的因果关系的证明陷入困境，就是因为依照大陆法系民法因果关系理论进行证明所致。我国台湾地区也一直在寻求解决这些难题的良方。第二，大陆法系国家的法院在审理证券民事案件时表现得非常消极。大陆法系法院无权创制法律，当法无明文规定时，其一般表现得非常谨慎。正因如此，大陆法系国家有关证券侵权民事责任的案件极少。即使是上市公司退市制度相对完善的日本亦是如此。这连日本学者也深感疑惑："（日本）尽管立法上尝试扩大民事责任，但目前还没有根据证券交易法的规定提起损害赔偿之诉。这个原因还是个谜。也许是投资者漠不关心的结果，他们毫不怀疑地信任要约的公正性，或者是日本民众从传统上讨厌诉诸法庭；也许是法律规定的民事和刑事制裁阻止了欺骗行为；也许是行政机关在要约生效之前对申请文件的复查已有助于阻止发布误导性的招股说明书；也许仅仅是律师不太熟悉民事责任的规定或者是很难发现或证明招股说明书的虚假性。"

三、成熟证券市场上市公司退市规则对我国的借鉴

（一）对成熟证券市场上市公司退市规则的评析

发达国家证券市场制定的退市规则较为具体明确，尽量避免了笼统或模糊的表述，增强了退市标准的可操作性。退市标准主要体现在上市公司的股票市值、股东权益、公司总资产、股权结构等，这些标准使得退市标准更为具体化和多元化。退市程序主要体现在设计较为科学、合理。发达国家证券市场制定的退市规则中，还规定了严格的信息披露制度，同时，还为上市公司退市明晰了后续通道。

1. 退市标准更为多样性

成熟证券市场退市标准具有多样性，其标准更为严重，同时也更具操作性。如纽约证券交易所上市公司退市标准包括净资产、股东人数、公众持有的股票数量及股票市值、盈利水平、总市值及运营资产等；东京证券交易所的规定更为明显，在其退市标准中规定，股东数量、"特殊少数"股东持有比例、股东人数的规定。如东京证券交易所的退市标准：股东人数最少不能少于 800 人，有"特殊少数"股东持有的股票最多不能超过 80%。纽约证券交易所的上市标准则规定，股东人数不能少于 500 人且近 12 个月的平均交易量不少于 100 万股。通过这些退市标准，我们会发现一个显著的特征，即它们所规定的退市标准，都具有明确具体的特点，没有为上市公司预留避免退市的空间，而我国上市公司退市标准，较多地规定违法性事项，过于规范性，缺少具体性规定。

2. 退市程序更为具体、明确

通过对成熟证券市场退市程序的了解，我们可以发现，成熟证券市场的退市程序，更为科学、合理。具体表现在：一是成熟证券市场退市程序更为严谨、合理、有序。以纽约证券交易所退市程序为例，全部退市程序分为两大阶段，其中第一阶段为评估与跟进阶段，又被称为预警阶段或整改阶段；第二阶段为退市阶段，又被称为审慎阶段或听证阶段，这种退市规则的设计明晰，是我国退市规则所不及的。二是成熟证券市场退市具有充分的整改期。上市公司如在规定的期限内使公司能够重新达到持续上市的标准要求，就可以解除退市的风险。按照成熟发达国家退市程序规定，上市公司在接到交易所有关公司低于持续上市标准的通知后，将有最长 18 个月的整改期。如果公司在接到通知后的 10 个工作日内能向交易所表明要提交一份整改计划，并在接到通知后的 45 个工作日

内向交易所提交一份整改计划，同时该整改计划又被交易所接受，而公司能按照该计划的整改进度要求进行整改，并能在18个月的整改期内重新达成持续上市的要求，就可以最终继续保留自己的上市地位。三是成熟国家退市公司享有申请、听证权。对经过整改期后仍达不到持续上市标准，并被交易所决定终止其上市地位的上市公司，退市程序也赋予申请或听证权。因此，如果听证后仍被认定为不符合持续上市的要求，上市公司就会被要求退出证券市场。

3. 具备严格的持续披露义务

该项义务建立在"以信息披露为主"的监管理念上，尽管在其他标准的规定上一般都是持续上市标准低于上市标准，但在信息披露方面，其他规定却要严格得多。许多证券交易所尽管没有或很少有持续上市数量标准方面的规定，但却都规定了信息披露方面的要求。东京证券交易所规定，如果公司财务报告或半年财务报告有严重虚假陈述，就有可能被强制性退市。纽约证券交易所规定，独立审计人员的财务意见如果包括保留意见、否定意见或免责声明，将作为确定公司是否退市的因素之一。

4. 明晰高效的后续通道

上市公司从证券市场退市后，如果没有进入破产程序，可以到场外市场挂牌。日本的场外市场，即绿单市场(green sheets)，并不是法律意义上的场外市场，绿单市场不受行政监督，而是按照证券业协会的自律规则运行。美国的场外市场主要由场外报价公告栏市场和粉单市场(pink sheets)构成。二者的上市标准有较大差别，退市公司可以自愿决定去处。多层次的场外交易市场是退市的后续通道，保障了市场的流动性以及交易的活跃性。

(二)成熟证券市场上市公司退市规则对我国具有重要的借鉴作用

1. 规定多元化的退市标准

我国上市公司退市制度是参照成熟证券市场的经验制定的，因此，退市标准具有很大的相似性。我国上市公司退市标准相比成熟证券市场而言，对反映市场动态变化的定量标准重视不够，"连续三年亏损"在过去很长一段时间内都是我国衡量退市与否的最主要的指针，而诸如股票交易量、成交价格、流动性等市场化标准则长期缺席。而成熟证券市场的退市标准在定量标准和定性标准的设定已较为齐全：定量标准包括对上市公司的净资产、股票市值、股票价格、股权分布、交易量、财务状况和盈利能力等诸多可用数字直观表示的因素做出的相关规定；定性标准包括关于公司治理结构、信息披露、资产处置、违约违规等方面的规范。由于我国证券市场环境、法律规范、投资者交易等诸多方面与成熟证券市场存在较大差距，上市公司退市标准在具体实施过程中仍有可能表现出较大的弹性操作空间。

2. 设计具体、明确、操作性强的退市程序

我国上市公司的退市程序始于特别处理，包括退市风险警示和其他特别处理，被特别处理的上市公司如果情况好转，可以申请撤销特别处理；如果情况继续恶化，则被暂停上市。暂停上市的公司根据之后的具体情况，可能面临恢复上市和终止上市两种出路。

恢复上市的公司一般继续暂停上市前的特别处理状态，也有公司恢复上市的同时成功申请撤销特别处理。设置了缓冲期或过渡期是我国退市程序不同于成熟证券市场的一个重要特征，纽约证券交易所一旦确定股票有退市的必要，则立即进入退市程序；而我国因为设有缓冲期的存在，使得劣质公司得到了"苟延残喘"的机会，使劣质上市公司的重组有了回旋余地，警示作用大打折扣。

成熟证券市场的退市制度为我国进一步完善和健全证券市场退市机制提供了有益的借鉴和启示，从长远趋势来看，我国上市公司退市规则将越来越接近于国际惯例。

第三节　与上市公司退市规则相关的立法改革动向

近年来，我国证券市场开展了一系列的重大改革，从总体上看，反映了我国资本市场发展之迅速，对于上市公司退市制度的发展，我们不能仅仅局限于从上市公司退市本身找问题，也要时刻关注与之相关的制度发展。因为从其制度发展之中，可以发现上市公司退市制度的变革，如即将实行的证券发行制度，以及多层资本市场系统和破产制度，从以上几项制度的改革，我们可以发现促进上市公司退市制度发展的方向。

一、证券发行注册制度对上市公司退市的影响

证券发行往往涉及众多证券投资者，进而影响一国的经济秩序，因而对于证券发行制度的发展，对国家经济起着极为重要的作用。2015年，我国着手对《证券法》进行了修订，其中修法的重点是引入了证券发行注册制度。证券发行注册制也被称为申报制，起源于美国1933年的《证券法》，是指发行人在公开发行证券时，依法定要求将应公开的所有信息向证券主管机构申报注册，并对该信息的真实性、完整性承担法律责任，证券主管机关只对申报材料进行形式审查。按照该制度，发行公司在向证券主管机关申请并公开有关资料，经过一段时间后主管机关未提出异议，则可以发行股票而无须主管机关的批准。证券注册发行制度反映了市场经济的自由性、主体活动的自主性和政府管理经济的规范性与效率性，更能体现证券市场要求公开、公平、公正、效率的原则。具体而言，我国证券发行注册制度改革动向主要体现以下几个方面的特点。

(一) 加大企业金融融资，维护金融市场稳定

王涌教授认为我国证券发行注册制改革，表面上是证券发行程序问题，实则是一场金融体制改革，他强调，我国现在的金融制度，是以刑法"非法集资罪"为核心构建起来的金融垄断体制，企业没有融资自由，而证券发行注册制将给予企业融资自由，因为在理论上，符合条件的企业都可以公开发行证券。融资难一直是困扰我国企业的最大问题，我国证券市场现行发行制度对上市企业要求资质较高，国家干预证券上市，并且以法定的条件衡量和审查发行人是否具备发行证券的资格，无形当中，造成上市"壳"资源贵重，同时也造成资质较差的企业无法上市融资，而证券发展注册制度的改革，将有效地改变

企业融资难的问题，只有符合企业公开发行股票的条件，即可申请上市，并给予企业上市融资的自由，逐步改变我国企业的融资传统模式，从传统的间接融资模式转变成为直接融资模式，有效地加快企业融资的途径。

（二）有效简化了证券发行审核程序，提高了企业上市的效率

在证券发行注册制下，证券监管机构只对发行人的申请材料实行形式审查，并不对其进行实质审查。审查的程序相对于审核制而言更为简便，审查的时间较短。如果企业经过法律的审核期限，注册申请自动生效，免去了烦琐的政府审批及审核程序，大大降低了证券发行审核工作量，节约了人、财、物等资源。同时，证券监管机构可以将更多的精力投入到违法违规的查处中去，将监管的力度加强。

（三）降低了上市门槛，促进了企业间的有效竞争

证券发行注册制的改革，降低了企业上市的门槛，有效地促进企业间的竞争，有利于发展有潜力的企业通过证券市场募集到需要的资金，获得更多的发展机会。同时，证券发行注册制不设置实质性的条件，只要求充分信息公开披露。因此，一些风险较大但有发展潜力的企业，只要充分地披露风险和相关的信息，也有机会进入证券市场募集资金。

（四）体现了"三公"原则，促进投资者审慎投资

"公开、公平、公正"原则是证券发行注册制的最高指导原则。充分发挥信息披露机制，只有投资者们获取更多的信息，才能有效地保护投资者的合法权益。审核程序的公开是保障制度运行的基本保障。发行注册制强调，投资者对其行为自行负责，证券监管机制不对证券发行人，即证券的价值做具体判断，证券监管机制只要求发行人提出真实的信息，但不保证信息的真实性，同时，注册申请的生效，并不意味着证券监管机构认定申请材料记载真实、正确、完整，也不意味着保证或承认证券的价值。因此，投资者需自行选择证券，并承担相应的投资风险。

当然，证券发行注册制度的改革，对于我国证券市场具有深远影响，将有效地改变我国企业融资的途径，但是，证券发行注册制自身也存在一些缺点，具体而言，有以下几个方面。

1. 证券发行制唯一强调的是证券信息的真实性

证券发行注册制强调充分信息披露，但问题是，我国企业对于资金极度渴望，加上我国证券欺诈缺乏严刑，仅仅要求企业做出真实的信息披露，并不能有效地防止投资者们上当受骗等事件发生。因此，过分地依赖于公开信息披露制度也会使该制度建立的初衷受到破坏。

2. 证券发行制度将滋生监管机制腐败

在证券发行注册制下，极有可能出现大规模公开发行股票的上市公司，但我国只有上海、深圳两证券交易所，可容纳多少家公司上市发行股票呢？如果我国实行发行注册

制，对证券交易所有两方面具体要求：一是技术能力。即证券交易系统能否容纳多家上市公司同时交易，当下科学技术发达，证券交易系统应当不会受到制约，因而本条不是至关重要的问题。二是监管问题。在证券发行注册下，重点强调充分的信息披露，势必将加大证券监督机构的监督力度，众多公司上市发行股票，势必将引发监管崩盘。在《证券法》审议稿第 22 条规定；"公开发行股票，由证券交易所负责审核注册文件。"从该条我们可以发现，证券发行注册审查的权利下发到了证券交易所，在交易所层面，缺乏有效的监督，势必将滋生腐败。

3.证券注册制将加大证券市场投机性

证券发行制度保障了发行人的证券发行权，同时也有可能放任一些资质差的公司进入证券市场，一方面，会造成对证券市场国民经济有所侵害；另一方面，因为市场淘汰机制具有滞后性，证券注册制可能加大了证券市场的投机性，对整个证券市场的安全构成极大的威胁。

二、多层资本市场的发展对上市公司退市的影响

多层次资本市场是为了满足不同发展水平的企业的融资需求，既能推动企业平等发展，又能满足不同投资者的需求。从世界各国证券市场的发展来看，证券市场亦具有广泛的含义，它既包括集中交易的证券交易所，如纽约证券交易所、东京证券交易所、伦敦证券交易所等，也包括仅对机构投资者开放的无形交易市场，如全美证券商自动报价系统、英国证券商交易报价系统等，还包括粉单市场、绿单市场等场外市场。而在市场范围内，同一层次或类型的资本市场内部也出现了进一步细分层次的趋势，配合多种交易制度，形成了多层次的市场结构，其中，以美国的纳斯达克市场最为典型，其内部又分为三个层次：纳斯达克全球精选市场、纳斯达克全球市场、纳斯达克资产市场(原纳斯达克小型资产市场)，类似的还有美国粉单市场，由此形成了多层次资本市场体系，即主板市场(如纽约证券交易所)、创业板市场(如纳斯达克市场)、三板市场(如粉单市场)、区域交易所(即私募股票交易市场)。多数国家在建立证券市场过程中，基于法律体系协调、满足交易群体需求以及股权充分流转的考虑，均保留了场外交易制度，并且建立了与之相联系的配套措施。具体而言，证券市场包括主板市场，也包括创业板或二板市场，还包括三板或具体交易市场。

我国沪深两地证券交易所实现严格的公司上市标准，使得上市成为一种稀缺资源，大量中小企业不能满足上市要求而使其股权无法有效流动。但是，在证券法已经确立了多层市场原则的条件下，场外证券交易规则的制度化仅仅是时间问题。建设多层次资本市场体系已经提上日程，限制多层次资本市场建设的法律障碍正在逐步清除。在法律层面，2016 年，我国《证券法》即将进行大规范的修订，其中重点是发行注册制度。证券发行注册制度的即将实施，实际已为多层次资本市场的形成、培育，即制度建设预留了法律空间，铺平了法律道路。我国将在未来的一段时间内大力推行多层次证券市场制度，改变我国过去的单一集中竞价证券市场的政策。对于我国构建多层次资本市场体系，需要注意以下几个方面。

1. 多层次资本市场需强调层次性

从宏观来讲，多层次资本市场的层次性体现在不同市场之间的基本差异。2006年12月1日，时任中国证券监督管理委员会主席尚福林公开提出，我国需要建立四个层次的资本市场架构，即积极培育蓝筹监管下的股票市场，大力发展中小企业板，积极研究、适时推出创业板市场。多层资本市场构建，在于强调对主板、创业板、三板三个层次市场的制度改进和结构创新，不同层次市场的上市条件各有不同，以满足不同类型和规模的融资者的需求。从微观上来讲，同一市场里也会分出不同的层次，并通过市场不同层次间的定级和升降，为市场内企业提供更为广阔的成长空间和激励企业发展的原动力，以此扩宽上市公司主体范围，促进市场内的股权流动，为证券市场的发展提供数量和质量上的双重保障。

2. 不同层次市场间需具有流动性。

多层次资本市场不是静止的、独立的三个市场，而是一个完整的、交互的整体。公司企业处于不断地成长发展过程，不同发展阶段的企业对融资有着不同的需求，资本市场的层次划分为企业在不同市场板块间的转换提供了必要条件。这种流动性有利于培养市场主体的风险意识，满足企业不同阶段的发展要求，也有利于提高上市公司的整体水平，同时转板机制的建立，可以极大地节省企业的融资成本和监管成本，促进证券市场健康发展，减少资源浪费。

我国多层次资本市场的构建应当立足于满足不同类型投资者的需求，以不同类型企业的发展要求为基本出发点，改变我国资本市场的现状，使其可容纳的融资对象既包括国有大中型企业，也包括成长性强的民营企业、业绩突出的创业企业。因此，我国应当建立主板、创业板、三板相对独立、层次分明的多层次资本市场体系。

三、破产制度改革对上市公司退市的影响

2007年6月1日，我国新修订的《中华人民共和国企业破产法》(《企业破产法》)正式实施。该法第一次全面规范了我国企业法人破产法律制度，确立了我国的破产重整制度，适用对象由之前的全面所有制企业扩大到上市公司，由此可以借助《企业破产法》中的破产重整程序来挽救亏损或濒临退市的上市公司。

上市公司退市制度，仅仅是让劣质的上市公司退出市场，如果没有完善的企业破产制度的支持，是难以形成比较完善的上市公司退市制度的。最为合理的安排，即是上市公司退市制度与破产制度各负其责，可以解决当前证券市场存在的退市难的问题。破产制度是为了清理不能清偿到期债务的债务人的财产，通过破产程序以使债权人获得公平清偿的法律制度。破产制度的价值主要体现在两个方面，一是消灭已无法经营企业的主体资格，避免资源的无端浪费。二是通过破产清算，使债权人的债权得到公平的清偿，避免债权人损失的进一步扩大。尽管我国《企业破产法》已经实施，但就上市公司而言，即使债权人向法院提出了破产申请，地方政府从维护形象出发，经常出现干预司法的情况，要求法院不得受理破产申请。更为重要的是，由于上市公司的公众股东与国有股、法人股股东的持股成本相差很大，公司破产清算会造成中小投资者承担与其权利不对等

的重大损失，极易引发社会不稳定风险，这也是造成公司实质上已经破产，但各方不启动破产程序所在的原因。实际上，对于一些已经资不抵债、业务停顿的上市公司而言，不申请破产，不仅对证券市场造成严重影响，同时投资者的利益也得不到保护，甚至会降低整体经济运行的效率。如果确有退市公司依法申请破产，投资者、债权人依照各自的所承担起应负的责任，将有效地对市场恶意炒作、投机行为产生警醒作用，更有利于发挥退市机制，促进优胜劣汰、优化资源分配的作用，同时也能大大减轻上市公司退市的压力。上市公司濒临破产，股票极有可能会被终止上市，仅仅着眼于避免退市，通过财政补贴、债务和解等方面进行债务重整，是难以帮助公司实现实质性提升的。唯有实质性的重组，才能真正实现上市公司破产重组的最终目的，即恢复和再建公司的经营能力。实质重组通常都是通过购买、出售、置换资产的方式加以实现，一旦破产重整申请被获准，相应退市执行程序将被终止，为实质重组创造较为良好的外部环境。

企业重整制度，使《企业破产法》得到了有效地运用，同时也使得企业得到重生，特别对于效益差或陷入困境的上市公司，有可能通过有效地重整避免破产，既有利于平衡债权人与债务人的利益关系，也有力地保护了中小投资者的合法权益，同时也能够维护社会稳定。诚然，一旦重整失败，即变为破产程序，对于证券市场而言是积极的一面，它为劣质公司退市开辟了渠道，有利于提高市场资源分配效率，真正实现优胜劣汰机制。

第三章　上市公司退市的监管机制

立法反映了立法者的偏好，想想这些偏好是如何形成的（甚至先把选民压力放在一边）：是由各个立法者的价格、气质、生活经验以及对立法职能的范围和限度的理解形成的。

——理查德·A·波斯纳

近年来，学术界对有关上市公司退市监管制度问题进行了深入的讨论，这些讨论使上市公司退市监管制度在我国正式大规模地登堂入室。早在 1993 年《公司法》中已出台上市公司退市制度，在 2001 年 2 月 22 日，中国证券监督管理委员会发布了《亏损上市公司暂停上市和终止上市实施办法》，并于 2001 年 11 月进行了修订，标志着我国上市公司退市制度的确立与实施，在 2005 年修改《证券法》时，将上市公司退市的监管权从中国证券监督管理委员会转交到证券交易所。这些立法动态标志着我国对上市公司退市制度不断地进行改进。查阅近期文献，理论界对新出台的上市公司退市制度的赞许，明显多于对该制度的检讨。有人甚至认为，此次退市意见为最严退市制度，从当下上市公司退市监管制度的改革方面，我们不得不思考一个本源性的问题：我国上市公司退市监督制度的改革是否必须突破传统框架？目前的改革方式是福还是祸？

上市公司退市监管制度在于解决上市公司资源分配效率，实现自我净化，要解决上市公司退市这一命题，必须考察是什么因素决定了上市公司退市监管机制的选择。本章旨在结合上市公司退市监管机制的改革为背景，从宏观上对上市公司退市监管制度展开理性、冷静和深层次的思考。这些思考试图证明：目前流行的上市公司退市监管机制的改革思维应该被抛弃，上市公司退市监管机制，应在自律监管框架中行动。

为了分析方便，本书以"天津国恒铁路控股股份有限公司股票终止上市"为例谈起。

天津国恒铁路控股股份有限公司（下文简称国恒铁路），于 1996 年 3 月 10 日在深圳证券交易所上市。2011 年、2012 年年度报告披露显示，国恒铁路连续两年亏损，2013 年 4 月 25 日，国恒铁路开始实行特别处理，简称"ST 国恒"。2011 年、2012 年、2013 年，ST 国恒净利润为负值，2014 年 7 月 17 日，ST 国恒暂停上市。2015 年 4 月 30 日，公司披露的经审计财务报告显示，2014 年 1 月 1 日—2014 年 12 月 31 日经审计的归属于上市公司股东的扣除非经常性损益的净利润为 -72 588 820.33 元人民币，营业收入为 7 831 678.00 元，会计师事务所无法出具 2014 年度审计报告。2015 年 5 月 25 日，深圳证券交易所发布《关于天津国恒铁路控股股份有限公司股票终止上市的公告》，因天津国恒铁路控股股份有限公司 2011 年、2012 年、2013 年连续三个会计年度经审计的净利润为负值，公司股票自 2014 年 7 月 17 日起暂停上市。

我们从适用法律来看，《证券法》第 48 条明确规定：上市交易的证券，有证券交易所规定的终止上市情形的，由证券交易所按照业务规则终止其上市交易。这样规定是把上市公司退市的规则授权给证券交易所。

国恒铁路被强制退市的主要原因是公司已连续三年亏损，按照 2014 年《证券法》第 55 条第 4 款规定：公司最近三年连续亏损，证券交易所决定暂停其股票上市。因而，国恒铁路被深圳证券交易所强制退市。从此案中，我们发现一个关键问题，国恒铁路退市案中适用的法律标准极为不科学，按照法律的规定，公司最近三年连续亏损，在亏损时间上存在连续性。但是，如果一上市公司连续两年亏损，第三年微薄盈利，是否就不存在退市的问题了。细细想来，该条规定，为上市公司避免退市提供了预留空间。

除了"公司最近三年连续亏损"这一问题，我国现行证券法关于上市公司退市的规定，何为"公司有重大违法行为"，法律也未有具体规定。在证券法对上市公司退市标准存在问题的情况下，上市公司退市监管机构如何适用这条规定对上市公司进行监管？我们的监管机构的法律性质是否正当？围绕以上问题，下文将对我国上市公司退市的监管机制进行系统分析。

第一节　上市公司退市的监管机制概述

一、上市公司退市监管的含义

虽然我们在日常生活中，经常听到媒体报道"上市公司退市"的有关新闻，但是，大多数人对这一概念比较陌生。现实生活中，我们对上市公司接触比较少，普通人不了解证券市场，不会了解上市公司的运作流程，另一方面，更不会知道"上市公司退市"的具体规定。因此，这个概念看似简单，但难免让人感到迷茫。诚然，"上市公司退市"作为证券市场的核心制度，尚处在不断发展和变化的过程中，此时要给出一个完善的制度恐怕非常难。但是，作为证券市场中的重要制度，必须要对其加以监管，才能有效地推动证券市场发展。

在证券市场监管中，各国均无一例外地存在明显的证券管制。但是，在理论上，国内外学者却没有对"证券监管"或者是"证券退市监管"做出一个精确的定义，其内涵和外延未在学术界得到明确的诠释。美国著名的经济学家乔治·斯提格勒认为，作为一种法规，管制是产业所需要并主要为其利益所设计和操作的，因此，管制计划能采取任何手段满足某产业的欲望，最极端的就是增加它们的获取能力。叶林教授则认为，证券市场的监管是金融监管的组成部分，是指国家主管机关或者机关根据证券法的规定，对证券发行、交易、服务等活动和市场实施的监督和管理。

因而，所谓上市公司退市监管的含义即是以证券监管概念为基础，证券监管概念是上市公司退市监管的上位概念，而证券监管的含义又以一般的管制概念为基础，它们之间存在本质区别，证券管制的特殊含义取决于证券市场的特殊属性。关于上市公司退市监管的概念，一般认为，证券主管机关依法对上市公司退市活动实施的监管和管理，以维护证券市场秩序，保障其合法运行为目的的行为。虽然，上市公司退市监管的精确定义还没有达成共识，但从广义上分析上市公司退市政府监管，一般认为，上市公司退市监管是以矫正和改善证券市场内在的问题为目的，证券及其监管部门通过各类主体的行为所进行的干预、管制和引导，以达到一般意义上规范的经济目的——公平与效率。虽然大多数人都不会否认上市公司退市监管的重要性，但现实中，我国对上市公司退市的监管力度始终较弱，在监管的模式方面也不尽如人意。

二、上市公司退市监管的模式

确立证券监管制度是各国证券法律制度的基本内容之一，是各国证券为保护投资者权益所采取的基本手段。证券监管是指依《证券法》设立的，证券监管机构依法对证券发行、交易、结算等活动以及对参与证券市场活动的主体实施监督和管理，以维护证券市场政策运行并以实现保护投资者合法权益的行政行为，上市公司退市就属于其监管范围。证券监管产生的直接原因是投资者尤其是中小投资者权益的保护。在证券市场发展早期，由于受到利伯维尔场经济思想的影响，人们认为政府不应该以任何理由保护投资者，特别是不得对中小投资者进行额外保护。直到1929年，美国股市大危机才使得政府意识到单纯的市场行为将导致投资者受到损害，从而影响资本市场的正常发展，于是罗斯福政府采取了一系列的政府措施加强了对资本市场的监管。

一国上市公司退市的监管体制的确立是由该国政治、经济、文化传统及证券市场的发展程度等多种因素决定的。总的来看，每一国家和地区的监管模式不尽相同，大体可以分为三类：一是政府主导型。这一体制以美国为代表，此外还有加拿大、日本、韩国以及我国台湾地区等。二是自律主导型。主要以1986年前的英国为代表，此外还有英联邦的部分国家和地区。三是中间型。中间型介于自律监管和政府监管之间，主要以英国、法国为代表。

从保护投资者权益的角度上来看，政府主导型和自律主导型各有优势。政府主导型的优势主要体现在以下几个方面：一是建立了一套完整的法律制度，所有市场参与者，均受这一法律体系所约束，投资者权益得到了法律的明确保障。二是上市公司退市监管部门作为政府的一个机构，具有绝对的权威性和强制力，它相对超脱于市场的参与者之外，能够比较严格、公正有效地保护投资者尤其是中小投资者的合法权益。但是，政府主导型也存在一定的弊端，主要由于资本市场的复杂性、法律的滞后性以及证券监管部门超脱市场等原因，使得难以及时对市场的大变化进行有效的反应，从而使得投资者权益难以得到有效的保护。

自律监管在一定程度上解决了政府主导型监管的弊端，它为投资者充分参与投资市场和竞争提供了保证。与政府主导型监管一样，自律主导型也存在一定的缺陷，在自律监管下，上市公司退市监管部门与市场参与者没有明显的界线，这样使得监管部门在维护投资者权益方面难以以一个公正的角度来对待；同时由于缺乏一整套具有强制力的法律制度，使得在保护投资者权益方面比较软弱。正因为两种监管制度各有优劣，两种不同的监管体制在保留自己的特点的同时吸收对方的优点成为一种趋势。

三、我国上市公司退市监管发展的三个时期

1990 年、1991 年，上海、深圳证券交易所先后成立，标志着我国证券交易市场正式确立，由于当时相关法律法规不健全，加之缺少上市公司退市的实例和经验，我国证券市场的退市监管机制并未相伴而生。从我国证券市场退市监管的形成和发展过程来看，大致经历了四个时期。

1.第一个时期：1992 年

国务院证券委员会及其常设监管机构中国证券监督管理委员会正式宣布成立，由国务院证券委员会作为主管机关，中国证券监督管理委员会作为执行机构，由国务院部门和地方政府共同参与对证券市场的多元监督。1994 年，我国《公司法》颁布并实施，确立了我国上市公司法律制度。《公司法》明确指出，国务院证券监管部门是决定暂停上市公司股票的机构。虽然 1994 年《公司法》对上市公司退市制度有相关规定，但是由于过于笼统，又无具体的实施细则，造成了我国上市公司退市制度长达多年未能实施。

2.第二个时期：1997 年

我国撤销了国务院证券委员会，此后，国务院证券委员会和中国人民银行的监管职能亦移交给证券监督管理委员会。我国证券市场基本上形成了中国证券监督管理委员会统一领导的中央监管体系，明确了证券监督管理委员会是独立唯一的最高监管部门，上市公司退市监管亦在其监管范围。

3.第三个时期：2005 年

我国正式实施《证券法》，对上市公司退市制度进行了完善，完善的主要内容是《证券法》第 56 条、第 56 条，把上市公司退市制度从《公司法》转移到了《证券法》，其中第 57 条对上市公司退市决定权作了授权性规定："国务院证券监督管理机构可以授权证券交易所依法暂停或者终止股票或者公司债券上市。"至此，证券交易所享有对上市公司退市监管的权利。

4.第四个时期：2020 年

我国《证券法》进行了大规模修改，对上市公司退市制度进行了进一步完善，在《证券法》第 48 条进行了规定，把上市公司退市规则进行了授权，授权于各证券交易所，证券交易所对上市公司退市规定进行细化，按照其业务进行办理上市公司退市。

第二节　上市公司退市监管的内容

在我国证券市场飞速发展，证券发行注册制推行的大背景下，上市公司退市监管制度具有较大的意义，也有利于推进我国证券发行注册制度的进一步改革。上市公司退市制度是推进我国资产市场改革的必经之路，尽管当下我国上市公司退市制度还存在诸多

问题，但是通过推动上市公司退市监管，不仅可以提高上市公司资源分配、实现自我净化，也是推进上市公司注册制改革的重要步骤，更为今后实现证券市场改革奠定了基础。

然而，我国上市公司退市还存在极为严重的制度缺陷：一是缺乏反映市场动态变化的定量标准，"连续3年亏损"在过去很长时间内都是我国退市标准中最易量化执行的指标，这就为上市公司留下了逃避退市的空间。二是恢复上市的补充材料没有限定具体期限，上市公司通过无限期补充材料来避免退市命运。三是监管部门对虚假披露、违法违规以及违法上市协调的行为惩处力度不够。为此，我国应加强对上市公司退市的监管。

上市公司退市监管，隶属于证券监管的范围，在投资者、证券监管部门之间形成法律关系。我国上市的公司需要通过向证券交易所提出申请，由证券交易所依法审核同意，并由双方签订上市协议。接着，证券交易所审批通过，公司即可在证券交易所上市交易，同时，根据双方签订的上市协议，接受证监会和证券交易所的监督，如果上市公司违反证券交易所的上市公司上市规则，证券交易所可以对其进行强制退市。上市公司退市的监管主要涉及对上市公司重大违法上市公司的审查、因亏损而暂停上市公司恢复上市的审查、信息披露的监管、股票市场的定价机制监管等问题，本书主要对因"重大违法行为"退市监管和信息披露的监管进行系统分析，具体如下。

一、关于因"重大违法行为"退市的监管

证券"重大违法行为"的定义在世界各国的刑法中均无规定，我国学者对于证券"重大违法行为"的解释也各不相同。有学者对证券"重大违法行为"抽象定义，有学者从证券基本制度定义。本文采用宽泛的定义，将证券"重大违法行为"定位为有关"重大违法行为"，主要是指违反《证券法》的规定，损害证券市场秩序和投资者权益的犯罪：按照证券犯罪对证券管理秩序是否直接造成侵犯，可以将证券犯罪分为典型的证券犯罪和非典型的证券犯罪。按照证券犯罪范围的大小，可以将证券犯罪分为广义的证券犯罪和狭义的证券犯罪。关于证券"重大违法行为"的客体，有学者否认投资者的利益和投资者的信赖是证券"重大违法行为"的客体，并认为证券"重大违法行为"的客体是证券市场的规则和证券市场的秩序。有学者从不同层面分析了证券"重大违法行为"的客体。证券"重大违法行为"的一般客体是指所有证券"重大违法行为"共同侵犯的、证券刑事法律保护的证券管理秩序的整体，即整个证券管理秩序。证券"重大违法行为"的同类客体是指某一类证券"重大违法行为"所共同侵犯的某一方面的证券管理秩序。包括证券本身的管理秩序、证券市场主体及其业务的管理秩序、证券发行管理秩序、证券交易管理秩序、证券信息管理秩序和证券监督管理秩序。证券"重大违法行为"的具体客体是指具体的证券"重大违法行为"所直接侵犯的具体的证券管理秩序。上述关于证券"重大违法行为"客体认识上的分歧主要体现在理论上。在实质上，不管证券"重大违法行为"的客体是维护市场秩序，还是保护投资者利益，关于证券"重大违法行为"的刑事立法在保护投资者方面并没有事实上的不同。

证券"重大违法行为"在我国刑法中属于破坏金融管理秩序罪的范畴。破坏金融管理秩序罪是指违反国家金融管理法规，妨碍国家金融管理活动，使国家金融管理秩序和经

济利益遭受严重损害的行为。破坏金融管理秩序罪侵犯的客体是刑法所保护的金融秩序。金融秩序就是在金融活动中所遵循的实现金融体系稳定安全与协调发展，促进宏观经济稳定和经济可持续发展的交易规则和机制。破坏金融管理秩序罪在客观方面的表现为：违反有关金融管理法律、法规，从事危害国家对货币、外汇、有价证券，以及金融机构、证券交易和保险等方面的金融管理活动，破坏金融管理秩序，情节严重的行为。

证券"重大违法行为"在严重侵害证券市场秩序的同时也必然会损害投资者的合法利益。投资者是证券市场的支撑者，如果没有投资者，证券市场就不复存在。保护投资者利益，其实质就在于使证券投资公众能在公平、公正、公开的市场环境中进行投资活动。刑法介入证券市场，将刑法手段纳入调控证券市场的法律体系之中，不仅是可能的而且是完全必要的。这对于保证证券市场的健康发展、完善证券市场法律调控体系、保护投资者合法权益均具有相当程度的迫切性和重要性。

证券"重大违法行为"的立法范围可以分为三种类型：繁密型、稀疏型和适度型。繁密型是指立法者将危害证券管理秩序的行为尽可能地升格为证券"重大违法行为"，纳入证券刑事法网。美国证券法关于证券"重大违法行为"的设定就属于此类；稀疏型是指立法者将危害证券管理秩序的行为尽可能少地升格为"重大违法行为"，纳入证券刑事法网。英国关于证券"重大违法行为"的设定属于此类。适度型的证券"重大违法行为"是指在适度原则的指导下，以行为对证券管理秩序的危害性为标准而形成的宽严有度的证券"重大违法行为"。我国的《证券法》设定的"重大违法行为"接近于适度型。

《中华人民共和国刑法》中对证券"重大违法行为"主要规定在第3章第4节中，共有7个罪名：伪造、变造股票、公司、企业债券罪；擅自发行股票、公司、企业债券罪；擅自发行股票、公司、企业债券罪；内幕交易、泄露内幕信息罪；编造并传播证券、期货交易虚假信息罪；投资者买卖证券、期货合约罪；操纵证券、期货交易价格罪。

上市公司因"重大违法行为"而退市，是在证券交易所《股票上市规则》中规定的，即"公司有重大违法行为，由证券交易所决定强制暂停其股票上市交易"。近年来，随着绿大地、万福生科等证券违法事件的发生，该条规定引起了证券市场对执法有效性、公平性的质疑。对于如何适用这条规定对上市公司进行监管，关键在于如何理解"重大违法行为"。

（一）如何理解"重大违法行为"

有观点指出，"重大违法行为"暂停上市的标准要综合考虑市场及社会影响因素，如市场反应强烈的、投资者损失惨重，多方认识统一的欺诈发行应当确认为属于"重大违法行为"。也有观点认为，上市公司违规披露，应当作为"重大违法行为"的基本类别。但笔者认为，实为不妥，在现有的监管体制下，信息披露涉及的违法、违规的原因是多样的，严重的程度、市场的影响都所有不同，更缺少统一的认定标准，因此，对"信息披露违法、违规"现象先不作为"重大违法行为"的典型形式，应待对其进行进一步完善后，再作考虑。

在证券市场中，除了信息披露、欺诈市场等违法行为外，上市公司还存在其他形式的违法行为，如偷税、走私等重大违法行为。如何理解"重大违法行为"，本书认为，应当遵循以下两个基本原则：一是"重大性"原则。何为"重大性"，核心必须是其行为影响到上市公司的地位，使其无法正常上市，再结合其违法事实、性质等具体的构成要件。二是"实体性"原则。"实体性"原则，是要求违法行为必须要有相应的法律规定，因上市公司"重大违法行为"而退市的行为，是违反了证券交易所《股票上市规则》规定关于上市公司的具体规定，如果没有相应的规定，不能认定为是"重大违法行为"。

(二)违反"重大违法行为"是否要退市

证券交易所《股票上市规则》规定了重大违法强制退市的具体情形，上市公司的股票在证券交易所上市交易，如不能满足证券交易所《股票上市规则》有关上市，就会被证券交易所暂停上市，其中暂停上市公司上市的法定情形主要有：

第一，证券交易所《股票上市规则》规定，上市公司存在欺诈发行、重大信息披露违法或者其他严重损害证券市场秩序的重大违法行为，其股票应当被终止上市的情形。

第二，上市公司存在涉及国家安全、公共安全、生态安全、生产安全和公众健康安全等领域的违法行为，情节恶劣，严重损害国家利益、社会公共利益，或者严重影响上市地位，其股票应当被终止上市的情形。

第三，公司有重大违法行为，这里主要是指公司有违反证券交易所《股票上市规则》规定行为和其他有关法律规定情节比较严重应当受到制裁的行为。

有观点认为，对于"重大违法行为"，证券交易所只能对其进行暂停上市，而不能决定其是否退市，因这一规定，也严重影响了证券交易所制定的上市规则，无论是上海证券交易所，还是深圳证券交易所，在制定上市规则时，将上市公司有"重大违法行为"的，作为暂停上市情形，至于对上市公司违法此项标准而暂停上市后如何处理，并没有相应的规定。

二、关于上市公司退市信息披露的监管

信息是证券市场理性投资的基础，因而信息披露成了证券法律的基石。从《证券法》所追求的直接目标看，不外乎是维持一个自由、公开的市场和保护投资人利益，而信息披露正是两大目标的守护神。信息披露原则最早起源于19世纪的英国，而对于信息披露原则最经典的阐述则体现于美国大法官 Louis Brandies 的著作 *Other People's Money* 中，他在书中的名言是："公开制度作为现代社会与产业弊病的矫正政策而被推崇，阳光是最好的防腐剂，电灯是最有效的警察，公开是现代社会及工业疾病的救生药。"其内容的假设就是欺诈在信息披露制度下无法生存，只要把与发行人及其证券有关的资料完全公开，就可以起到防止欺诈的作用，同时通过提供给投资者评价证券价值的相关信息而保护了投资者的权益。现代证券市场基本都确立了信息披露制度的核心地位，信息披露制度与保障投资者利益之间的关系主要体现在以下几个方面。

1. 信息披露制度是投资决策科学的前提

投资者只有对证券发行公司不断变动的财务、经营等状况有全面真实的了解，才能

据以做出理性的投资决策，实现预期投资收益。如果只有少数知情人知悉公司经营状况的变化，他们可以利用预先获知的信息从事非法的投机活动，操纵市场，扭曲市场信号，攫取巨利，使一般投资者因为信息的劣势而致利益受损。因此，应当排除一切旨在引起证券价格剧烈波动的人为操纵因素。最有效的办法就是消除证券市场的信息垄断、封锁，使投资者能公平、合理地获悉有关公司的信息。可见，信息披露制度是投资者决策理性的前提。

2. 信息披露有效防止内幕交易和证券欺诈

在证券市场上，发行公司与证券经营机构居于主动、强者的地位，极易形成对市场交易信息的垄断；而投资者处于弱者地位，如果没有信息披露制度，很难获得其正常投资所需的充分信息。虽然有的公司愿意主动披露信息，但不能排除虚假的可能，有的公司甚至虚张声势，故意传播虚假或者误导性信息，诱使投资者上当受骗。这种不公平、不合理的状况，将威胁到公众对证券市场的信心乃至退出证券市场，从而危及证券市场的存在。所以，投资者作为证券市场中的"上帝"，需给予特殊保护。而信息披露制度要求发行公司全面、真实、准确、及时披露影响其证券价格的一切重要信息，使投资者在平等的条件下获取信息，弥补其弱势地位。这是防止内幕交易和证券欺诈行为、保护投资者的关键。对此，美国证券交易委员会曾于1963年证券市场特别报告中，以"为大众所持有的证券发行人的义务"为题，作如下论述："联邦证券立法的全部构造中枢，在于企业内容的公开。利用有关其即将投资或已投资证券的适当的财务状况资料或其他信息，使投资者能做明智的投资判断，同时也是防止证券欺诈的最好方法。"

3. 强制性信息披露是投资者权益保护的最有效手段

强制性信息披露对于投资者权益保护而言是无可替代的，美国学者 J. Seligman 指出：如果没有强制性信息披露制度，发行者就不会真实披露信息，或以误导性信息影响投资者决策；如果没有强制会真实披露信息，承销费用和内部人的收入会更高；如果没有强制性信息披露制度，投资者将会对证券市场失去信心；如果没有强制性信息披露制度，证券业自律组织便不可能保证公司信息披露达到市场需求程度。如果没有强制性信息披露制度，公司信息公开就不可能得到法律上的充分保证。借助法律制度的强制力，强制性信息披露保障了信息的公开性，增加证券发行人内部管理和财务状况的透明度，有利于投资者对其投资收益和风险做出正确的判断，同时又可以强化证券管理机构和社会公众对发行人行为的监督管理，有效地制止违法、违规行为。保证证券市场的公平和公正，是信息公开制度生命力之所在。

4. 自愿性信息披露是投资者权益保护的有力支持

自愿性信息披露是公司根据自身发展情况，按照改进公司治理的要求，通过披露非强制性的公司信息，来提高上市公司信息披露质量。自愿性信息披露与强制性信息披露在动力、内容、制衡机制等方面明显不同。自愿性信息披露主要有三种途径：

一是在公司定期报告中，上市公司披露一些公司信息，如公司治理信息、管理层评价、环境保护、社会责任等。

二是与证券机构以及其他机构投资者、专业证券分析人士的信息沟通。

三是上市公司通过新闻媒体将公司有关核心竞争能力、技术状况、环境保护情况、社会责任等信息发布出去。

1994年，美国注册会计师协会（AICPA）发表报告从10个方面总结了投资者对上市公司自愿信息披露的需求。1995年，美国证监会（SEC）公布了"安全港"条款，对上市公司盈利预测信息披露可能面临的股东诉讼提供某种形式的保护。2001年，美国会计准则委员会（FASB）发表了题为"改进财务报告：提高自愿性信息披露"的研究报告。该报告对美国上市公司的自愿性信息披露状况进行了评价，提出了改进财务报告过程、增加自愿性披露的政策建议。在FASB促进自愿信息披露的研究报告发表后，为了强化公司治理和社会责任，SEC表示将采取具体措施鼓励上市公司自愿性信息披露，并列出了20个需要自愿披露的方面。总之，对投资者的完全信息披露，要求所有进入证券市场的发行人都充分地披露与其相关的财务和其他信息，从而使得投资者具有进行投资决策的良好的信息基础，这就实现了对投资者利益的最好保护。再进一步看，信息披露制度通过构建证券市场的公开性和透明度来消除人们因神秘感而导致的不信任与猜疑，它保证市场及所有的投资者公平地获得其投资决策所需要的相关信息，提供了自由、公平竞争的基础，这也是市场经济运行原则的体现。

正是基于这种认识，各国证券法律几乎都无例外地把强制信息披露作为保护投资者的合法权益，保持证券市场透明、公正和效率及降低系统性风险的最主要的防线。《证券法》以及证券监管的基础都是建立在信息披露制度之上的，信息披露制度在证券监管及其制度中无处不在并且贯穿始终，无论是证券市场公开性观念的提出，还是基本制度的形成。还是具体规则的确立以致最终法律责任制度的制定。信息披露始终以一种包容众多制度与规则的系统性综合体规范形式存在，从而确立了上市发行人及其相关市场参与者必须遵守的必要约束。

（一）信息披露制度的基本原则

由于信息披露是贯穿于证券监管全过程的核心制度，因此体现该制度最基础性要求的基本原则也备受立法者及学者们的关注，由于强制信息披露制度是针对投资者的需求而设计的，因此信息披露的基本原则也处处体现了对于投资者利益的保护。归纳而言，信息披露制度应遵循如下几个基本原则。

1. 真实性原则

信息公开披露的初衷在于使投资者获得可以依靠的投资讯息，信息的真实性原本是信息披露的最根本也是最重要的要求，以至于该原则几乎成为信息披露制度的前提性假设。然而由于在证券市场中，证券投资者对信息，尤其是不利信息的敏感性以及由此做出投资决策的反应，不实陈述或虚假陈述已成为现代证券市场信息披露主要违规类型之一，并且直接危害证券市场信心。真实性原则要求无论是通过书面文件还是通过口头陈述披露的信息应当是以客观事实或具有事实基础的判断与意见为基础的，以没有扭曲和不加粉饰的方式再现或反映真实状态。

2.完整性原则

完整性原则要求所有可能影响投资者决策的信息均应得到披露；在披露某一具体信息时，必须对该信息的所有方面进行周密、全面、充分地揭示；不仅要披露对公司股价有利的信息，更要披露对公司股价不利的诸种潜在或现实风险因素，不能有所遗漏。毕竟投资者应当把公司完整的形象呈现在投资者面前，如果上市公司在公开披露时有所侧重、隐瞒、遗漏，导致投资者无法获得有关投资决策的全面信息，那么，"即使已经公开的各项信息具有个别的真实性，也会在已公开信息总体上造成整体的虚假性"。完整性原则表明：由于没有完整披露某些信息而使披露部分信息具有虚假和误导成分，其严重程度与直接不实陈述是一样的。尤其在所遗漏信息对做出正确投资判断极为重要和敏感的时候更是如此，因而必须要求发行人平衡地、全面地将投资信息呈现在投资者面前。完整披露包括披露信息内容上达到实质性的完整，即凡对投资者做出投资决策有重大影响的信息，不论披露准则是否有规定，均应予以披露。

3.准确性原则

准确性原则要求发行人披露信息时必须用精确不含糊的语言表达其含义，在内容与表达方式上不得使人误解。客观地说，判断一种表述是否具有含糊不清和误导的标准来自信息的接收者，而不是信息的提供者。然而在实践中，由于上市公司和投资者之间在知识水平、投资经验、语言理解能力、表达方式上具有各种差异，导致对语言理解具有选择性和多样性。为了避免信息发布人利用语言的多解性从而把误解的责任推卸给投资者，在对公开披露信息的准确性理解与解释上，应当以一般投资者的判断能力作为标准。准确原则不仅要求信息在做成披露当时的准确性，还要求所有经披露进入市场的仍然有效存在于市场的、直接或间接地影响投资者决策的信息的准确性。此外，准确的要求还在于，当公共传播媒介中出现可能对公司股票市场价格产生误导性影响的信息时，上市公司应当对信息做出公开澄清。

4.及时性原则

及时性原则要求：(1)公司以最快的速度公开其信息，即一旦公司经营和财务状况发生变化，应当立即向社会公众公开其变化细节；(2)公司应当保证所公开披露的信息的最新状态，不能给社会公众以过时的和陈旧的信息。可见，及时披露原则是一项持续性义务，即公开发行证券会公司从证券发行到上市的持续经营活动期间，向投资者披露的资料应当始终是最新的、及时的。各国证券法中信息产生与公开之间的时间差都有法律的规定，要求每个时间差不能超过法定期限。及时披露的意义在于使市场行情可以根据最新信息及时做出调整，投资者也可以根据最新信息以及行情变化做出理性选择，并且可以通过缩短信息发生与公布之间的时间差来减少内幕交易的可能性，降低违规风险。

5.公平披露原则

公平披露原则要求上市公司向所有大小投资者平等地公开重要的信息，即公司向证券分析师或机构投资者披露的有关利润或收入等敏感的非公开资料，必须同时或及时向公众公布。

(二)美国的信息披露制度及其对投资者的保护

美国在证券监管模式上奉行完全信息披露主义,其对证券市场监管的主要任务就是确保有关市场主体进行充分、完全的信息披露。信息披露原则作为美国证券监管制度的核心,是建立在"有效市场"理论基础之上的。该理论认为,只要一切与证券及其发行者有关的重大信息得到充分、及时和准确的披露,市场自身就可以吸纳和处理这些信息,并反映在证券价格上,从而使投资者得以做出正确的投资决定。也就是说,只要强制有关市场主体进行全面的信息披露,投资者的权利就可以得到足够的保护。因此政府的职责是确保发行人等市场主体披露了应该披露的信息,而非去评价市场上的证券价值来保证其买卖公平。

从1933年制定全国统一的《证券法》开始至今,美国已经建立了涉及证券发行、上市、交易、退市等各个环节的完备的信息披露制度。《1933年证券法》和《1934年证券交易法》从本质上看都是披露法,都以信息披露要求为基本内容,只是在侧重点上有所不同。在投资者保护的价值取向的指引下,各种新的信息披露制度也不断出台,丰富并完善了整个信息披露体系。下面就美国信息披露体系发展过程中的几个主要法律和制度形成做以介绍。

1.《1933年证券法》发行披露规定和《1934年证券交易法》的持续披露规定

《1933年证券法》主要针对一级市场(即发行市场)。根据该法规定,除了发行得到豁免登记的证券(exempted securities)以及SEC根据具体情况予以个别豁免的证券发行外,任何证券的公开发行都须向SEC登记,在提交的登记声明中披露如下方面的重要信息:

(1)发行人的财产和业务状况;

(2)欲发行证券的主要条款及其与发行人其他资本证券的关系;

(3)发行人的管理状况;

(4)经独立的公共会计师审计过的财务声明。

如果SEC对信息披露的充分程度没有异议,那么20天后登记自动生效;如果有异议,SEC有权要求登记人补充披露,登记生效时间顺延。在提交登记声明之前,发行人不得销售证券,也不得发出要约;在提交登记声明到登记生效的等待期内,发行人可以发出要约,但不得销售证券;只有在登记生效后才能实际销售证券。这种区分三个阶段的制度安排旨在给予投资者相对充分的时间来了解登记声明所披露的信息,避免其做出草率的投资决定。

《1934年证券交易法》则主要针对二级市场即证券交易市场。最初它只适用于其证券在全国性证券交易所(纽约证券交易所和美国证券交易所)上市交易的公司,要求这些公司必须向证券交易所和SEC进行登记而成为所谓的"报告公司(reporting company)",承担披露和报告义务。1964年的修正案将其适用范围扩大至从事柜台交易的公司,要求凡是总资产在1 000万美元以上且股东人数在500人以上的公司,以及依据《1933年证券法》进行过登记发行的公司,都必须登记为报告公司。报告公司必须定期向SEC提交年报(10-K表)、季报(10-Q表)和临时报告(8-K表),披露其经营、财务和管理状况。

2. 简明英语规则

简明英语规则的出台正是适应于投资者对信息披露中普遍存在的充斥专业术语和复杂定义现象的改革。为了使投资者更好地把握要点，避免错过被发行人层层包裹起来的不利信息。SEC 于 1998 年制定了第 421(d)号规则，即所谓"简明英语规则(Plain English Rule)"，规则要求招股说明书前部(包括封面、封底、摘要和风险因素部分，通常需要用光滑的纸张和较大的字体印刷)的行文必须使用简明的英语，因为这是投资者阅读频率最高的部分。简明英语规则包括如下几个方面的具体要求：(1)使用短句；(2)使用确定、具体的日常语言；(3)使用主动语态；(4)尽可能给复杂内容附上图表；(5)不使用法律专业术语或高度技术性的商业用语；(6)不使用双重否定句。除此之外，同时制定的第421(b)号规则还要求整个招股说明书的用语清楚、简练和容易读懂。

3. 公平披露规则

公平披露规则(Regulation Fair Disclosure，以下简称"FD 规则")的产生最早是出于 SEC 对证券市场上普遍存在的选择性信息披露问题的担忧。选择性信息披露是指证券发行人有选择性地将一些重大非公开的信息(如对盈利结果预警或对预测的盈利结果的确定)在向一般公众完全披露之前向一些特定的个人或机构(通常是证券分析师或机构投资者)进行披露的做法。这种做法在美国的上市公司中相当普遍并且有一定的合理性，因为对于较为复杂或重大的市场信息，一般投资者可能无法充分理解和做出适当回应，容易产生混乱。由经验丰富的证券分析师或机构投资者先行判断，公众再跟随其做出投资决定，有利于市场的稳定和有序发展。但选择性信息披露导致最严重的问题是在证券市场上产生了信息获得机会的严重不公平，导致公众投资者对资本市场信心的降低，同时选择性信息时会损害市场分析师判断的客观性和独立性。为了规制这种侵害投资者利益的行为，SEC 于 2000 年 8 月通过了公平披露规则。

概括而言，该规则要求当一个发行人故意地向该规则所列举的人披露任何重大非公开信息时，其有义务以相同的方式同时向公众披露这些信息，而不是选择性地披露；如果一个发行人非故意地向该规则所列举的人披露任何重大非公开信息时，其有义务在获知该选择性披露的信息是既重大又非公开之后迅速地向公众披露。

4. 索克斯法案

2002 年 7 月 30 日，时任美国总统布什签署了《公众公司会计改革和投资者保护法》(以下简称"索克斯法案")，该法案涉及的内容十分广泛，而其中影响最大的就是有关信息披露方面的强制要求，即要求上市公司的首席执行官(CEO)和首席财务官(CFO)对公司向 SEC 提交的定期报告的真实性和准确性提供个人保证的严厉规定。

法案规定，从其生效之日即 2002 年 7 月 30 日起，所有承担《1934 年证券交易法》下报告义务的公司在向 SEC 提交定期报告的同时，必须提交公司 CEO 和 CFO 签署的书面保证，对定期报告中财务报表"完全符合《1934 年证券交易法》，以及在所有重大方面公允地反映了财务状况和经营成果"予以保证。这一要求的意义非同小可。根据联邦证券法的规定，SEC 有权对在向 SEC 提交的任何书面法律文件中做出重大失实陈述或者误导性陈述的当事人采取法律行动，因此 CEO 和 CFO 一旦提交保证，就意味着要为定期报告的任何失实之处承担潜在的个人责任，包括民事和刑事责任。除了上述书面保证要求外，索克斯法案在信息披露方面还有其他许多具体规定。该法案责成 SEC 在其生效之日起 180 天之内制定规则，要求上市公司披露"所有重大的表外交易"以及"上市公司与任何没有合并财务报告的实体或个人之间可能对上市公司的财务状况产生现实或潜在的重大影响的关系"。法案同时要求所有向 SEC 提交的财务报告必须反映所有由独立审计师所发觉的"重大的纠正性改动"，而且要求 SEC 展开关于表外交易以及为特定交易目的而设立的经济实体(SPV)的研究，并在年内向总统和国会提交报告建议。另外，法案还大大加快了信息披露速度方面的要求，特别是强调上市公司应及时披露导致公司经营和财务状况发生重大变化的信息。索克斯法案立法速度之快、涉及范围之广、措施之严厉，为历年来美国证券立法所仅见，以至于许多人将其同《1933 年证券法》和《1934 年证券交易法》相提并论。笔者认为，该法案通过强化高级管理人员的责任和增加上市公司信息披露的要求，可以有效防止公司财务欺诈行为的发生，在加强投资者保护方面的意义不可忽视，正在推动美国公司财务会计体制朝着一个更加开放透明的、以保护投资者利益为导向的方向发展。

(三)我国上市公司退市信息披露的监管制度

上市公司退市的信息披露，是上市公司监管体制的重要组成部分，负责上市公司信息披露的监管机构包括证券主管机关和证券交易所。从上市公司退市监管部门的职责划分来看，证券主管机关和证券交易所主要负责上市公司信息披露的管理，具体的分工为：证券交易所负责上市公司上市后的信息持续披露，而证券监督管理委员会(证监会)负责重大违法的信息披露事件。作为背景知识，下面先介绍一信息披露违法案，重点强调何为上市公司信息披露制度。

大连大显控股股份有限公司(以下简称大连控股)，前身为大连显像管厂，成立于 1975 年 7 月，1996 年在上海证券交易所挂牌上市。2013 年 7 月 30 日，大连控股对其控股股东大连大显集团有限公司(以下简称大显集团)提供 1.5 亿元人民币担保，并对大连太平洋电子有限公司提供 2 亿元人民币担保，上述担保行为已经达到进行临时公告的标准，但大连控股未在 2013 年 8 月 1 日至 2014 年 4 月 30 日期间进行临时报告，也未在 2013 年三季报或年报中披露上述担保事项。大连控股随后补充披露了上述担保事项，大显集团和大连控股时任董事长代威也公告承诺"上述担保事项将由大显集团及代威先生承担，不会对上市公司造成任何损失"。

审判结果：中国证监会大连监督管理局经过审理认定，大连控股的上述行为违反了 2014 年《证券法》第 63 条关于"上市公司依法披露的信息，必须真实、准确和完整，不得有虚假记载、误导性陈述或者重大遗漏"的规定，构成了 2014 年《证券法》第 193 条所述"发行人、上市公司或者其他信息披露义务人未按照规定披露信息，或者所披露的信息有虚假记载、误导性陈述或者重大遗漏的行为。"对大连控股上述违法行为直接负责的公司主管人员为大连控股董事长代威。中国证监会大连监督管理局决定：对大连控股给予警告，并处以 30 万元罚款；对时任大连控股董事长代威给予警告，并处以 3 万元罚款。

法理评析：按照《证券法》的有关规定，上市公司披露信息不得有遗漏，这是信息全面性的要求。如果上市公司披露的信息有遗漏，可能会误导投资者。而且遗漏的信息往往是对公司不利的、负面的信息，这些信息可能会动摇投资者的信息。但是，这些信息恰恰是投资者最需要的。因此，法律要求上市公司对可能影响股票价格的信息必须全部和盘托出，而不能人为地进行取舍。如果经过人为过滤，对上市公司有利的信息都公开了，而对上市公司不利的被遗漏掉，就可能导致投资受损。这也违背了证券市场的公平、公正和公开的原则，破坏了证券市场的秩序。

本案中，大连控股对其控股股东大显集团提供 1.5 亿元人民币担保，并对大连太平洋电子有限公司提供 2 亿元人民币担保，但是，均未履行临时公告义务，并未在 2013 年 8 月 1 日至 2014 年 4 月 30 日期间进行临时报告，也未在 2013 年三季报或年报中披露担保事项。此事件涉及担保问题，对外担保本身就是公司的重大事件，且本案中是为关联企业提供担保，这无论是对监管机构，还是对投资者而言，都是非常重要的信息，上市公司必须如实提交报告并向社会公告，而不能有任何耽搁和遗漏。证监会对大连控股及其相关人员所做出的处罚是正确的，处罚的力度是适当的。

1. 信息披露的方式

在具体的上市公司退市监管制度中，退市信息披露法律制度是不可或缺且极为重要的，没有信息，公众不知所措，在信息充分披露的前提下，公众方能得到公平的赔偿，问题才能得到合理的解决。依靠强制性的信息披露，以培养完善市场机制的运转，增强市场投资者、中间机构和上市公司管理层对市场的理解和信心，是各国或地区上市公司监管日益广泛的做法。

信息披露制度中的披露须以法定方式进行。上市公司进行信息披露的方式，亦是上市公司信息披露手段。传统上，上市公司主要通过报刊来进行信息披露，随着信息技术的发展，证券市场已建立专门的上市公司信息披露系统，并利用互联网来进行披露信息。我国《证券法》第 86 条规定，依法披露的信息，应当在证券交易场所的网站和符合国务院证券监督管理机构规定条件的媒体发布，同时将其置备于公司住所、证券交易场所，供社会公众查阅。对于其证券在证券交易所上市交易的，发布者还应当将发布的文件置备于证券交易所，供社会公众查阅，使社会公众能有更多的途径充分获知信息，从而保障投资者在证券发行、证券交易中的合法权益。

2. 信息披露的内容

我国证券市场是新兴的证券市场，同样以"三公"原则作为基础原则，以此来保障投资者的信心，维护市场的完整性。因此，强制信息披露同样是上市公司退市的监管基本原则，是我国证券立法中保护投资者权益的最重要的法律制度。

我国自实施上市公司退市制度以来，就非常重视信息披露制度的建立，对于上市公司退市而言，上市公司退市信息的披露主要是针对造成退市的公司，以及因重大信息披露导致上市公司退市的，主要原因有：因信息披露文件存在虚假记载、误导性陈述或者重大遗漏，或致使不符合发行条件的发行人骗取了发行核准，并且因违法行为性质恶劣、情节严重、市场营销重大，在行政处罚决定书中被认定构成重大违法行为，或因涉嫌违规披露、不披露重要信息罪被依法移送公安机关的。

3. 信息披露的标准

由于信息披露是贯穿于证券监管全过程的核心制度，上市公司退市也不例外。由于上市公司退市强制信息披露制度是针对投资者的需求而设计的，因此，上市公司退市信息披露处处体现了对于投资者利益的保护。归纳而言，上市公司退市信息披露的标准主要体现在以下几个方面。

(1)上市公司退市信息披露的信息必须真实；

(2)上市公司退市信息披露的信息必须完整；

(3)上市公司退市信息披露的信息必须准确；

(4)上市公司退市信息披露的信息必须及时；

(5)上市公司退市信息披露的信息必须公开。

三、关于上市公司退市投资者权益保护的监管

(一) 我国政府监管与投资者权益保护

从我国目前的证券监管模式来看，我国基本上属于政府监管型的国家。交易所、证券业协会等自律监管非常明显，但与其他国家自律监管不同，我国的自律监管具有很强的政府行政色彩。我国政府监管存在一些不足之处，使得投资者权益难以得到有效的保护，主要表现在以下几个方面。

1. 证券监管部门地位比较模糊

从目前证券监管部门的监管权的来源来看，证券监管机构的监管权一般直接来自法律的直接授权，但具体到监管机构的地位各国表现各一，总体而言，政府监管型国家证券监管部门的独立性日益加强。美国SEC不直接隶属于政府行政部门，而是通过国会立法建立超越"三权"的独立机构模式。法国证券委员会尽管隶属于政府，但是有最高法院、国会审计部门人员的参与，政府并不能完全对其予以控制。

中国证券监督管理委员会(中国证监会)成立于1992年10月。根据国务院1998年9月批准的《中国证券监督管理委员会职能配置、内设机构和人员编制规定》，中国证监会属于国务院直属正部级事业单位，是全国证券期货市场的监管机构，它根据国务院的授权履行其行政监管职能，依法对全国证券期货业进行集中统一监管。根据原《证券法》，中国证监会具有部门规章制定权、行政审批权、市场监督权、证券期货案件查处权等。但是实际上，由于证监会既不能独立于政府，又不能独立于其他部门，使得证监会在行使监管权的有效性难以保证。独立充分的权力是证券监管机构监管只能有效发挥的前提。《证券监管目标和原则》"足够的权力和适当的资源"一节中指出，监管机构应具有足够的权力，适当的资源以及行使其职责和权力的能力，并且列举了这些权力。从证券市场的运作特点来看，赋予监管机构足够的权力是必要的，我国原《证券法》第167条、第168条体现了这种要求。但是原《证券法》对于监管机构处理跨境违规的权力和有关问题缺乏规定，例如是否允许相关资料被他国监管机构在调查和起诉证券违规行为时使用。赋予

足够权力的另一方面应该是这种权力有效而理性地行使。上述《证券监管目标和原则》"明确的责任"一节中建议："监管机构的运作应独立于所监管行业的利益；应建立监管机构对公众负责的制度；应建立监管机构的决定允许法院审查的制度；对于政府或其他监管机构以外机构负责的事项，资料的保密性和商业的敏感性应得到保护。必须采取措施避免这些资料被不适当地使用或披露。"

当然，我们所说的独立的权力并不是说所有的权力均归属证监会，也不是说不需要证监会与其他部门进行沟通和协商，而是说证监会能够独立地行使监管职能，而不是建立在与其他部门的沟通之上。这一点，在证监会国际组织《证券监管目标和原则》"独立性和责任体系"一节中具有充分的表述。该节指出："监管机构在行使其职责和权力时，运作上必须独立于外界政治或商业的干预，并切实负起责任。监管机构稳定的经费来源有助于保证其独立性。在一些国家（地区），特定的监管政策需要同一些政府、部委或其他主管机构磋商，甚至需要这些机构的批准，允许或需要这种磋商和批准的情况要有明确的规定，处理程序要足够透明或可以审查以保证其健全。一般地，磋商和批准的不应是日常技术问题的决策。"

2.执法手段单一，投资者权益没有得到有效保障

我国证监会的执法手段非常单一，这是由于我国证监会的地位所决定的。我国证监会只是作为行使一定行政职责的事业机关，没有执法权、司法权，没有传唤当事人的权力，没有冻结证券账户的权力，没有搜查权和直接起诉的权力。

3.证监会的监管目标和标准模糊

《证券监管的目标和原则》概括了证券监管的目的，即：保护投资者，确保一个公平、公开、足够透明的市场；尽量减少系统性的金融风险。正如博登海默所言："法律制度最重要的意义之一是它可以被视为一种限制和约束人们权力欲的工具。""法律对权力的无限制行使设定了障碍，并试图维持一定的社会平衡。"我国证券法尽管对证监会监管职责进行规定，但对于证监会监管目标、标准以及责任没有做出任何规定，因此，有必要对证券监管设定一个有效的目标标准。具体而言可以参照《证券监管的目标和原则》的规定，明确证券管以保护投资者合法权益为核心，保证证券市场的健康持续发展。

（二）自律组织与投资者权益保护

证券市场自律组织主要有证券业协会、证券交易所等。证券业协会通常是由证券公司组成的行业自律组织，通过制定行业自律规则、研究行业发展、沟通会员业务等实现证券行业的自律管理。自律监管是自律组织对市场的监管，自律监管最大的优势就是在于它的高效率，能够迅速对市场发生的问题做出反应。自律监管组织一般包括证券交易所和证券业协会。自律组织在进行自律监管过程中应该遵循一定的原则。《证券监管目标和原则》规定自律组织进行自律监管中应该遵循以下规则：一是根据市场的规模和发达程度，监管体制应当允许自律组织在其胜任的领域承担一些直接监管的责任；二是自律组织应受监管机构的监管，在行使监管职责及指定任务的时应遵循公正、保密的原则。自律组织的自律监管只能有利于证券市场的健康发展，有利于投资者权益保护。《证券监管

目标和原则》在"自律组织的作用"一节中指出："自律组织是监管机构实现证券法规目标的有益补充"。具体而言，体现在以下几个方面。

1.公平交易的维护者

（1）公平交易平台的提供者

现代交易所与传统交易所的一个显著区别，就是现代交易所摆脱了传统交易所对物理交易场地的依赖，通过先进成熟的计算机技术、信息技术和通信技术的完美结合，建立了一个具有超常撮合能力和容错功能的交易系统。这个系统为广大投资者提供了一个集中交易的平台。笔者认为，这个交易平台是最为公平的，这是因为：证券的委托与交易都采用"时间优先、价格优先"的原则。而这个原则的具体执行者不是人，而是不具备人性的电脑，"关系优先"与"身份优先"这些实际交易中存在的弊端均不可能发生，也就是说，在交易与委托指令上，任何投资者都平等，任何人都没有特权。

（2）公平交易规则的制定者与执行者

为维护证券交易的秩序，证券交易所都会制定相关的交易规则。交易规则是证券交易所的基础性业务规则，它对证券交易的竞价原则、交易时间与品种、委托与成交程序、交易异常的处理以及费用缴纳等方面都会做出详尽的规定。除证券交易所外，证券业协会也制定有关的规则，比如，韩国证券商协会颁布了公平交易规则、场外交易市场规则、场外债券交易规则、投资咨询规则等系列自律规则，以确保证券交易的公平性。

除制定规则外，自律性组织还负责执行规则。比如在美国，为防止场外交易中出现操纵价格、垄断、欺诈投资者等违法行为，全美证券商协会所属监管公司以及纽约证券交易所根据相关的规则，负责对获取不合理的价差和佣金行为进行惩罚，以保证投资者的利益。

（3）市场异常交易行为的发现者与制止者

从市场监管方面讲，证券交易所具有显著的市场优势，因为其贴近市场、了解市场。各国证券交易所都承担着交易监管的重任。在美国，对于市场交易行为的监控，通常是由交易自律性组织来完成的，SEC要管的是这些自律性组织，及其制定的市场行为规则。由此可见，美国证券市场最直接的监管机构不是证监会，而是交易所和其他自律性组织。在我国，根据原《证券法》第110条和《证券交易所管理办法》的有关规定，证券交易所对市场异常交易行为负有发现、报告与制止之责任，为此，两个交易所都建立了对证券交易进行实时监控的市场监察系统。多年来，实践证明，这一监察系统在侦查、发现和制止市场异常行为方面，发挥了重要作用。

（4）行业正当竞争秩序的维护者

由于利益驱动的原因，证券业竞争异常激烈，无论是在投行业务还是在经济业务方面，不少证券商为了逢迎、迁就客户，往往不顾行业的诚信要求，通过补偿投资损失的方式挽留大客户，并向市场保荐不合格的公司上市，或者向中小投资者推荐与自己有利益关系的股票等。所有这些，不仅损害了中小投资者的利益，同时，也败坏了证券业正常的竞争秩序。证券业协会作为行业的自律性组织，在维护证券业正常的竞争秩序方面，起到了无可替代的作用。它通过制定相关的行业标准与规章制度，对证券商的市场竞争行为提出具体要求，来达到维护竞争秩序、保护投资者的目的。

2. 信息披露的一线监管者

（1）证券交易所是上市公司信息披露的主要监管者

上市公司信息披露可以划分为初次信息披露和持续信息披露。初次信息披露指上市前的信息披露，包括招股说明书、发行相关公告及上市公告书等；持续信息披露指上市后的信息披露，包括定期报告和临时报告，定期报告一般包括年度报告和半年度报告，有的市场还包括季度报告，其他报告为临时报告。在注册制下，如果审批机构为证券交易所，则上市公司初次信息披露的监管职责也主要由证券交易所承担，但通常证券监管机构也保留对上市公司有关违法违规行为进行问讯和查处的权力。

（2）上市公司信息披露监管是投资者保护的重要保障

国际证监会组织《证券监管的目标和原则》指出："充分披露对投资者决策具有重要意义的信息是保护投资者的最重要的方法"。因此，为切实保护投资者利益，各国与地区的证券交易所都非常注重对上市公司信息披露的监管。一般而言，凡是建立了证券市场的国家与地区，都实行强制性信息披露制度，并对信息披露情况进行严格的日常监管，要求上市公司真实、准确、完整地披露所有对上公司股票价格可能产生重大影响的信息，不得以任何方式欺骗投资者。这样，可以促进上市公司更加及时、准确和有效地进行信息披露，为投资者提供投资决策所需要的信息。从这个意义上说，信息披露监管是保护投资者利益和增强投资者信心的重要保障。

此外，自律组织在保护投资者权益方面还体现在证券从业资格人员的准入判定、进行投资者教育、组织投资者关系管理以及投资者纠纷与投诉的调节和仲裁。

第三节　我国上市公司退市监管制度存在的缺陷

我国证券市场从一开始就呈现出强烈的政府主导型的特点，20 世纪 90 年代挂牌的上市公司大都是在计划经济下进行国有企业股份制改造而成的，证券市场在发展初期更多地体现为地方政府推动，并非自发产生和自然演进，作为上市公司退市监管机制授权的监管主体上海、深圳证券交易所，是由中央政府与地方证券作为计划经济下的改革试点组建起来的，而不是市场参与者维护竞争秩序和共同利益的产物，因此，它更多的是政府意志与利益的体现者，是执行政府政策的机构，而不是作为市场自身的管理者，政府监管机构与证券交易所之间的关系更多体现为领导关系而非监管关系。目前，我国上市公司退市监管制度存在的问题主要有以下几方面。

一、我国上市公司退市监管制度存在的缺陷

（一）上市公司退市监管机制的正当性

从目前上市公司监管部门的监管权的来源看，上市公司退市监管权一般直接来源于

法律的直接授权。《证券法》第 48 条规定了证券上市、暂停上市、终止退市的权利。从《证券法》的规定，我们可以看出，《证券法》对证券交易所赋予了退市决定权，这一规定，符合发达国家证券市场的通常做法，也是为了证券交易所更便于自律管理。但是要不要保留公司上市、暂停上市、终止上市的权利，业界存在着不同的看法，有观点认为，证券交所与上市企业之间签订上市协议，其基础是契约关系，上市公司退市实际是契约解释的关系。但也有观点不这样认为，他们认为交易所与上市企业之间并未形成真正意义上的民商事关系，使上市协议成为两者之间既有平等地位而达成的合意，尚需时日，交易所对上市的审核权仍然是形式上的，公司发行的股票无论是在上海证券交易所还是在深圳证券交易所上市仍然由行政监管机构根据市场规划和定位确定，证券交易所和上市企业在上市企业选择上仍然缺乏自主权。

如果从证券市场的发展来看，将上市公司退市法定化，限制了证券交易所自律管理，不利于证券交易所自由、灵活地发展市场的能力，同时也不利于形成市场化的退市机制。从发达国家证券市场的发展模式来看，市场准入机制和退市机制是证券市场的两个基石，我国正在推进证券发行注册制度改革，相对而言，市场化的退市机制也应当健全和完善。

（二）我国上市公司退市监管以行政管制为主

作为我国上市公司退市监管的主体，证监会与证券交易所带有较为明显的行政色彩，证监会与证券交易所之间被定为监管与被监管的关系，政府行政权力强势干预，使得二者之间成为领导与被领导的关系，证券交易所成为证监会的附属机构，成为体现政府意志、落实方针政策、实现市场监控的雇员，丧失了独立的法律人格。证券交易所不具有真正的独立性，还体现在未能清晰地界定证监会与证券交易所的权利边界。比如，两者对上市公司信息披露的监管界限非常模糊，《上市公司信息披露管理办法》第 9 条并没有清晰地对证券交易所和证券监督管理委员会的权限进行划分，其中规定对信息披露事务管理或进行监督是证券会区别于证券交易所的权力。但是，实践中证券交易所规定了上市公司建立信息披露事务管理活动的具体时间，并在其他业务规则中也对信息披露事务管理活动进行了相关规定。

（三）监管方式重视资格的认定，轻视平时监督

目前，我国上市公司退市监管的惯性思维，还是停留在重视审核，轻视查处，而且还是把应该归于市场调节的对象纳入政府监管的范畴之内，在这种思维方式下，对上市公司上市的标准非常严格，比如，在我国实行审核制度下，证监会对每家发行公司的申报材料不仅进行形式审查，还要进行实证审查。而对于上市公司上市之后，监督极少，对于一些上市公司的违法违规的处罚力度也不够。这就必然造成上市公司应付监管，规避法律的事件出现，对形成市场化退市机制造成不利的影响。因此，为了形成市场化的退市机制，退市监管部门必须依法监管，充分发挥市场化退市调节机制的作用，将退市监管形成常态化，而不是把精力放在单个公司的上市审核上，才能真正体现监管的内涵。

二、我国上市公司退市监管法律体系存在的缺陷

（一）上市公司退市监管的法律过于笼统

我国上市公司退市监管法律主要由《证券法》所规定，中国证券监督管理委员会和证券交易所也出台了一些相关政策，但对于起到主导作用的《证券法》，规定太过笼统，甚至一些规定过于模糊。而证券交易所规定的退市标准太过于单一。

1.《证券法》规定的退市标准过于笼统

我国《证券法》所规定的退市标准，是在《证券法》第48条规定的，但该条规定的只是原则性规定，过于笼统，并且还存在模糊的地方，如关于"重大违法行为"退市的规定，此规定，在司法实践中，暂无具体的界定标准。因此，对于上市公司退市，我国还需要在法律层面上程序多元化的退市标准，而不是仅仅的几条原则性规定。

2.证券交易所退市标准过于单一

我国证券交易所规定的退市标准，是在证券交易所《上市规则》中显示的，但退市标准过于单一，我们考察国外成熟国家的上市公司退市标准，大多数呈现多样化的特点，除连续亏损、公司业绩不佳外，还包括股东持股比例不足、虚假陈述、破产解散、并购重组、主动申请退市等退市标准，而我国上海、深圳两地证券交易所虽然在2014年对上市公司退市标准进行了改革，呈现了市场类、规范类、财务类等多元化的类别，但总体还是略显单一，还是不能满足时下上市公司退市的需要。

（二）上市公司退市监管制度中缺乏救济程序

尽管我国《证券法》对上市公司退市监管做了规定，同时也规定了法律责任，但是我们细读《证券法》中的关于民事责任章节，就会发现，对于违法披露义务、高管人员违法买卖证券、非法获取内部信息、非法操纵证券市场、虚假陈述、监管失职的责任等一些行为都已做了法律责任的规定。但是，在《证券法》中没有规定的退市后投资者的救济程序，即在上市公司退市时，也有来自证券监管机构或者证券交易所带来的侵害，即在证券监管机构或证券交易所做出退市决定后，对投资者缺乏相应的救济程序，造成投资者受到损失后，无法实现救济。

三、我国上市公司退市信息披露制度存在缺陷

在上市公司退市制度中，信息监管是重中之重。《关于改革完善并严格实施上市公司退市制度的若干意见》中规定："要强化上市公司退市前的信息披露义务，证券交易所应当依照《证券法》及其配套的证券监管规定，有针对性地完善主动退市及强制退市公司的信息披露规则。上市公司退市前应当及时、准确、完善地持续披露其股票可能暂停或者终止上市交易的提示性公告。严厉打击虚假陈述、内幕交易、操纵市场等违法行为。"我

国《证券法》第78条明确规定了上市公司信息披露保密义务。证券监督管理委员会除对上市公司的有关报告及公告的情况进行监督外，同时还对上市公司分派或者配售新股的情况进行监督。但是细细分析，也会发现其存在一些问题。

(一)信息披露监管体制存在问题

从目前上市公司退市信息披露的监管体系来看，主要是证券监督管理委员会和证券交易所的监管体制。证监会负责政策制定，监管政策执行，负责监管工作的组织协调，以及负责信息披露的真实性、督促上市公司规范运作；交易所进行信息披露的一线监管，承担信息披露监督的主要工作。但是，承担最大量信息披露监督的交易所只有形式审核的权力，没有对公司调查、处罚等权力。这种监管机构在对于上市公司监管的效率非常低下，一旦出现重大的信息披露不规范行为，作为一线监管机构的证券交易所无法及时进行处罚，而只能上报证券监督管理委员会后由证券会进行处理。

(二)缺乏信息披露的审查监督机制

上市公司退市的信息披露要求真实性、完整性、及时性和准确性，这也是对披露公司的最基本要求，但是如何判断其信息的真实性、完整性、及时性和准确性，是我们当前面对的最大问题。在证券市场，上市公司因暂停上市或者终止退市极有可能对投资者造成极大的影响，投资者是否继续持有或者购买股票，需要通过上市公司的信息披露来判断，如果上公司在退市前，未对上市公司的情况进行信息披露，投资者将无法做出最为合理的判断。如果上市公司对公司情况进行披露，投资者也无法判断其披露的信息是否真实、完整和准确。当前，我国缺乏对信息披露认证机制，投资者很难辨别披露信息的真实性，对投资者是极大不公平。

(三)信息披露只规定退市前的信息披露，没有规定持续性的信息披露

上市公司退市的信息披露，在低于上市标准时，就要向社会公众进行信息披露。美国纽约证券交易所、纳斯达克证券交易所规定，在公司暂停上市之前，证券交易所一旦发现其低于上市标准，就要向上市公司发出通知，上市公司在既定时间内向公众进行公告，在向公众告知之后进入暂停或终止交易程序。而我国上市公司退市制度中，缺少对暂停或终止上市前的信息披露要求，特别是上市公司进入暂停或终止交易时。对于投资者来说，上市公司退市，极有可能造成投资者损失，如果在此之前有可用的信息，就有可能减少投资者的损失。因此，我国应当建立完善的上市公司退市信息披露机制。

(四)信息披露质量较差

我国上市公司退市信息披露的质量较差，迫切需要提高。我国信息披露质量低下的原因，主要体现在以下三个方面：一是上公司退市信息披露不真实、不准确或存在重大漏洞。在上市公司退市时，时有信息披露不真实、准确的事件发生，甚至有些上市公司

所披露的信息存在重大漏洞，欺骗投资者。二是信息披露不及时。一些上市公司即将退市，公司管理层故意推延退市信息，使得投资者利益受到损失。三是信息披露不严肃。一些上市公司对退市信息披露不严肃，认为信息披露可有可无，甚至是对投资者所受损失视而不见。

第四章　上市公司退市的法律责任

健全法律制度的关键，是准确界定法律责任。法律责任不落实，法律制度就像一只没有牙齿的老虎。

——无名

我国上市公司退市制度在经历了一系列的历史变迁之后，开始变得严格，当然，如果我们不对制度进行全方位的深入研究，无疑将会深陷"问题"之中，本章将从上市公司退市的法律责任出发，试图探寻上市公司退市法律责任的根本问题所在，即上市公司退市法律责任如何划分，如何对投资者提供救济。作为上市公司退市制度的核心，其法律责任一直被搁置，但在 2014 年 10 月 24 日，中国证券监督管理委员会发布了《关于改革完善并严格实施上市公司退市制度的若干意见》(以下简称为《退市意见》)，为上市公司退市法律责任提供了指引，将会最大限度地保障中小投资者权益，《退市意见》强调，保护投资者特别是中小投资者合法权益，是退市制度的重要政策目标，也是退市工作的重中之重。

本章的研究将从中国证券监督管理委员会发布的《关于改革完善并严格实施上市公司退市制度的若干意见》出发，首先关注上市公司退市的刑事责任、行政责任以及民事责任，然后探讨上市公司退市民事责任的构成要件，即上市公司退市民事责任的归责原则、过错行为、损害事实、因果关系及抗辩事由；最后重点分析上市公司退市民事责任的实现机制。为分析方便，本章以 2012 年度人民法院十大典型案例之一的西安投资者诉上市公司虚假陈述案作为背景知识，系统介绍我国上市公司退市法律责任制度。

东盛科技股份有限公司(下文简称为东盛科技)，前身是青海省同仁铝厂，隶属于青海省同仁县资产管理局，1996 年 10 月，在上海证券交易所上市，1999 年，同仁县资产管理局将所持有同仁铝厂的 52.46% 股份分别出让给西安东盛集团有限公司(以下简称东盛集团)和陕西东盛药业股份有限公司(以下简称东盛药业)，其中转让给东盛集团 28.92%，转让给东盛药业 23.54%。2000 年 9 月，同仁铝厂通过资产置换，原所属铝业资产被剥离，进入医药行业，至此，东盛集团和东盛药业分别成为东盛科技的实际控制人，即第一大股东和第二大股东。

经中国证监会调查，2002—2006 年，东盛科技未能完全履行披露义务，未按照要求披露对外担保事宜，其中，2002 年年度报告中东盛科技未披露 1 项 12 100 万元的对外担保事宜；2003 年中期报告中未披露 5 项共计 15 900 万元的对外担保事宜，同时，15 项 70 600 万元银行借款、银行承兑等事宜；2004 年中期报告未披露 1 项 3 000 万元对外担保事宜。2005 年中期报告中未披露 8 项 25 600 万元对外担保事宜，未披露 15 项 73 180 万元银行借款、银行承兑汇票事项；2006 年中期报告中东盛科技未披露 11 项共计 22 186 万元对外担保事项，同时，未披露 8 项 43 100 万元银行借款、银行承兑汇票事项。

上述违法违规事实发生后，中国证监会对其进行了查处，并依据原《证券法》第 177 条和《证券法》第 193 条的规定，对东盛科技公司及有关人员做出了处罚：对东盛科技给予警告，并处以 60 万元罚款；对东盛科技董事长郭家学给予警告，并处以 30 万元罚款；对东盛科技副总裁张斌给予警告，并处以 20 万元罚款；对财务总监杨红飞等 13 人给予警告，并分别处以 3 万元罚款。

东盛科技的虚假陈述引起了其股价的持续波动，引起了投资者的一度恐慌，在中国证监会对东盛科技行政处罚之后，来自全国各地的 148 名投资者，以东盛科技的虚假陈述行为致使其在投资中遭到巨额损失为由，在西安市中级人民法院进行起诉，2012 年 6 月 18 日，西安市中级人民法院公开受理了此案。

审理结果：2012 年 12 月 7 日，148 名原告与东盛科技公司在西安市中级人民法院的主持下，自愿协商达成如下协议：(1) 东盛科技于和解协议签订之日起 10 日内向王琴霞等 148 名股民共支付 1 295.84 万元，逾期各原告可依法申请强制执行；(2) 若东盛科技在履行期限届满后 3 个月内仍不能付款，则按《中华人民共和国民事诉讼法》第 229 条之规定，西安东盛集团有限公司和陕西东盛药业股份有限公司等对公司承担补充赔偿责任。

法理评析：本案是 2012 年度人民法院十大典型案例之一。2012 年 6 月 18 日，陕西省西安市法院受理来自全国各地的 148 名股东诉东盛科技虚假陈述案。上市公司在信息披露方面涉及虚假陈述、误导陈述、重大遗漏、不当披露等情形，涉及受损投资者较多，赔偿金额巨大，对证券市场及上市公司影响巨大。最初，考虑到证券民事责任在过去我国证券法中的缺位，相关法律规定十分笼统，难以操作和执行，最高人民法院曾于 2001 年 9 月 21 日发布《关于涉证券民事赔偿案件暂停不予受理的通知》，通知对内幕交易、欺诈、操纵市场等侵害投资者合法权益的损害赔偿案件，暂不予受理。但在 2002 年 1 月 15 日，最高人民法院又发布了《关于受理证券市场因虚假陈述引发民事侵权纠纷案件有关问题的通知》(以下简称《受理通知》)。《受理通知》解除了 2001 年的禁令，证券民事赔偿案件不予受理的坚冰被打破。这一通知在我国证券法历史上具有重要的里程碑意义。《受理通知》为此类案件的受理设置了前置程序，即要求此类案件的受理应以证监会做出处罚决定为条件。

2010 年 4 月 13 日，中国证监会做出了行政处罚，这一处罚决定使东盛科技虚假陈述案件被成功受理。东盛科技虚假陈述事件发生后，148 名股市向西安市中级人民法院起诉要求民事赔偿，并经过法院调解，投资者获得 1 295.84 万元的赔偿，显示了最大限度地保护投资者的利益，同时，也促使证券市场民事赔偿机制的进一步完善。今后，证券市场违法违规者除了要承担刑事责任、行政责任外，还要承担民事责任。股民因被欺骗而蒙受的损失，将由违规者赔偿。司法的介入，将使中小股东利益的保护真正纳入诉讼保护的轨道。

但是，纵观我国股民走过的民事求偿之路，可谓一波三折。1998 年 12 月 14 日，我国首例股民状告上市公司虚假陈述赔偿案，在上海浦东新区法院受理，引起了社会广泛关注。原告江某诉被告红光实业公司全体董事及有关中介机构损害赔偿案。1999 年 3 月 30 日法院以"原告的损失与被告的违规行为之间无必然的因果关系，原告所诉股票纠纷案件不属于人民法院处理范围"为由，裁定驳回原告的起诉。此后，有关红光虚假陈述的一系列损害赔偿案，均被法院裁定驳回起诉。直至 2002 年 1 月 15 日最高人民法院发布了《关于受理证券市场因虚假陈述引发民事侵权纠纷案件有关问题的通知》后，才有条件地开放了受理证券市场因虚假陈述引发的民事侵权纠纷案件。但遗憾的是，该通知只针对因虚假陈述引发的民事赔偿案，而没有涵盖误导性陈述、重大遗漏以及其他欺诈行为，更未将内幕交易和操作市场两大类重要的证券违规行纳入其中。而且，更为遗憾的是，该通知为此类案件的受理设置了前置程序即受案必须有中国证监会及其派出机构调查并做出的生效处罚决定为前提。那证监会如果不做出处罚决定呢？难道法院就不立案了吗？这是否意味着司法受制于行政？这严重违背了司法高于行政的法理。

证券民事赔偿诉讼之路在走过一段弯路之后，2014 年《证券法》在一定程度上弥补原《证券法》的不足，加大了民事赔偿的范围，覆盖了误导性陈述、重大遗漏和内幕交易、操纵市场等民事侵权行为。对虚假记载、误导性陈述、重大遗漏的有关责任人员实行过程推定原则和连带责任，强化了民事责任的补偿功能。证券民事赔偿制度的确立是我国证券法律责任制度的一大进步，但现行法律中规定多为原则性、宣誓性的条文，缺乏相应的责任追究程序规范与配套，大大降低了证券民事责任的可实现性。尽管 2020 年《证券法》对证券民事赔偿在实体法上有了较大的改进，但我国在上述证券民事赔偿的诉讼方面，还有待进一步完善。

第一节　上市公司退市法律责任的一般理论

上市公司退市的法律责任，对于证券市场的投资者来讲，很难清晰界定。尽管《证券法》试图通过对证券市场主体违反禁止性规定而制定了多项规定，但多为刑事责任，对于违法性的民事责任，却少之又少，应当说，这是我国长期以来立法中重行政、刑事责任，而轻民事责任的一种结果。为此，本节重点论述什么是上市公司退市的法律责任的特点以及重点分析上市公司退市法行政、刑事及民事法律责任。

一、上市公司退市法律责任的解释

(一)上市公司退市法律责任的含义

如果从法理学上分析法律责任，就会发现，法律责任是基于行为人违反法定或者约定的义务而承担的法律上的不利后果。在此基础上进行类推，就可以得出上市公司退市法律责任，它是指在上市公司退市法律关系的主体违反《证券法》或其他法律规范而应承担的法律上的不利后果。就其本质而言，上市公司退市法律责任是在行为人违法法定或约定的义务,背离立法的目的时,法律所采取的一种对其行为的矫正机制,其根本目的是在于通过让行为人承担因侵权而产生的不利后果,并因重新调整因行为人的不法行为而趋于失衡的利益关系,恢复已经扭曲的证券市场秩序,最终实现立法者的预期目的。

从对上市公司退市法律责任的特征来看,主要表现在以下几个方面:

一是承担主体的多元性。上市公司退市的法律关系的主体包括证券市场的主体(上市公司、证券投资者)、证券市场中介机构(证券经营机构、证券服务机构)、证券市场监管机构,它们均有可能成为证券法律责任的承担者。

二是法律责任的综合性。证券不法行为具有典型的外部性,不仅侵害投资者的利益,而且还会冲击证券市场的整体秩序,这就需要通过追究行为人的民事责任为投资者提供救济,也需要通过追究相关主体的行政责任与刑事责任来维护证券市场的整体秩序,在上市公司退市法律体系中既充斥着行政责任与刑事责任规范,也不乏侵权责任、违约责任和缔约过失责任等民事责任规范。

三是责任构成要件的特殊性。由于上市公司退市中不法行为类型多样,责任设定轻重有别,法律责任的构成要件方面存在较多的特殊性,尤其是在归责原则选择、因果关系认定、举证责任分配等方面,存在不少迥然有别于其他法律责任构成要求的规定。

(二)上市公司退市的法律体系

证券民事责任的法律体系,一般划分为刑事、行政和民事法律责任,上市公司退市法律责任也遵守这一体系,划分为民事、行政和刑事法律责任。在之前,我国证券法律责任"重公法规则、轻私法救济""重行政管制、轻民事赔偿"的现象较为突出,忽视了民事责任的主体地位。在2020年修订《证券法》时,就有学者提出,要健全证券法律责任体系,优化证券法律责任的实现程序,将保护投资者的合法权益置于更为突出的地位。但与行政责任、刑事责任相比,我国上市公司退市法律责任民事责任立法仍乏善可陈,因此,有必要在梳理上市公司法律责任立法基础上,对民事责任立法的完善以及上市公司退市法律责任进行深入研究。

1. 行政责任

证券市场的行政监管权力,是由专门证券立法赋予相应的证券监管机构承担的,即政府的行政行为,都是来自法律的授权。但是,如果行政责任人违背了法律的授权,将受到法律的惩罚。对于上市公司退市的行政责任而言,包括行政处分和行政处罚两个方面,前者是国家机关对公务人员给予的纪律处分,后者则是国家行政机关对行政相对人采取的制裁性措施。我国原《证券法》行政责任过重,并且是以行政处罚为主,以行政处分为辅。例如,在《证券法》"法律责任"篇48个条款中,有4处规定了对国家工作人员给予行政处分的法定情形,但是,却有43处提到了警告、88处提到了罚款、26处提到了没收违法所得。

2. 刑事责任

刑事责任并不能直接弥补投资者的损失,刑法保护投资者利益的方式与其他部门法有所不同,它只是作为第二道防线存在,因此,刑法的保护具有间接性的特点,根据刑法所规定的罪刑法定原则，刑事罪名必须规定在《中华人民共和国刑法》(《刑法》)或刑法修正案中，不能由其他法律所创设。我国现行的证券法律责任中涉及刑事责任罪名的主要包括：关于上市公司退市时的刑事责任，一般涉及上市公司或上市公司股东或者高级管理人员"重大违法行为"。例如，《刑法》中所涉及的主要有：欺诈发行股票、提供虚假财会报告罪；上市公司董事、监事和高管背信罪；擅自设立金融机构罪；伪造、变造、转让金融机构经营许可证、批准档罪；伪造、变造国家有价证券罪；伪造、变造股票、公司、企业债券罪；内幕交易、泄露内幕信息罪；编造并传播证券、期货交易虚假信息罪；操纵证券、期货交易价格罪；金融机构挪用资金罪；金融机构擅自运用客户资金罪；金融机构违反国家规定运用资金罪；提供虚假证明档罪；出具证明档重大失实罪等。

3. 民事责任

上市公司退市民事责任，是指上市公司退市主体违反证券法有关规定给投资者造成损失而应承担的民事责任。这一概念意味着：首先，对上市公司退市民事责任本质的认识应当立足于一般民事责任制度与原理的独特之处，如果只是泛泛地从一般民事责任的制度原理来认识上市公司退市民事责任，则势必看不清其本质的规定。换言之，只要适用关于上市公司退市的认定和处理民事责任才是上市公司退市民事责任。其次，上市公司退市民事责任制度主要是以保护证券投资者权益为宗旨，这一宗旨贯穿于整个上市公司退市制度的构建与实施当中。因此，在上市公司退市中参与的民事主体造成损失的应当承担民事责任。

二、上市公司退市法律责任的功能

作为证券法律体系的重要组成部分，上市公司退市法律责任制度是为了实现"促进、监管、服务、保护"的功能而设定的。相反，法律责任的虚无或者弱化将使证券法成为摆设，不仅投资者的合法权利难以维护，证券市场的正常秩序亦将不复存在。我国《证券法》第1条开宗明义地规定证券立法的目的，该法的实现无疑需要证券法律的保驾护航，具体而言，我国上市公司退市法律责任的功能体现在以下几方面。

一是补偿与救济功能。投资者信心的维系主要依赖于对投资者遭受损害给予充分的补充与救济，从而使失衡关系得以恢复，这就是上市公司退市法律责任的补充与救济功能。在证券法律责任的制度设计中，补偿与救济功能的实现主要是通过民事责任来实现，即借助于返还财产、恢复原状或赔偿损失等责任形式对投资者的财产权益加以补救。因此，在上市公司退市法律责任中，也可以采取以上方式来实现保护投资者权益。

二是制裁与矫正功能。由于上市公司的不法行为扰乱了正常的证券市场秩序，仅对投资者进行补充和救济尚显不足，还需通过行政责任与刑事责任打击和遏制上市公司退市违法与"重大违法行为"，剥夺行为人进一步实施违法"重大违法行为"的客观能力，从而恢复正常的证券市场秩序。法经济学的研究表明，当违法"重大违法行为"的成本高于收益时，违法"重大违法行为"会明显减少，而严厉的行政责任与刑事责任正是有效遏制退市违法"重大违法行为"的重要筹码。

三是教育与预防功能。上市公司退市法律责任制度通过法律规范的形式出现，不仅对退市违法"重大违法行为"具有警示和威慑作用，还可以督促上市公司及其董事、监事和高级管理人员自觉抵制不法意图，进而做出符合法律目的的理性行为选择。由此可以看出，交易与预防功能的本质在于"防患于未然"，是一种积极的责任功能。

第二节　上市公司退市的民事责任

在上市公司退市过程中，上市公司侵害投资者权益主要来自三个方面：一是上市公司及其管理层侵害股东权益，主要表现为上市公司违反强制退市的法律规定，上市公司的管理层违反信义义务，造成上市公司经营不善而退市；二是证券监管机构对投资者的侵害，主要表现为证券监管机构做出退市决定后，缺乏相应的救济程序；三是上市公司退市阶段，出现信息披露不完整、不真实，造成投资者判断错误，无法及时转移风险。由于我国上市公司退市制度中尚缺乏完善的赔偿制度和股东诉讼制度，造成投资者无法得到有效的救济。本节重点从我国上市公司退市民事责任角度分析，以求完善我国上市退市民事责任体系。

一、上市公司退市民事责任的法律性质

上市公司退市的民事责任是证券民事责任的一种，关于其责任性质，有着不同的观点。

1. 违约责任说

违约责任说认为，招股说明书与上市公告书视为一种要约，投资者买卖股票行为可以理解为一种买卖合约的行为，认为其类似于电子商务合同，在有价证券市场集中交易的市场买卖或受托买卖者之间，都存在着契约关系。值得注意的是，《中华人民共和国民法通则》(《民法通则》)第106条有明确关于承担民事责任的一般规定，就上市公司因未能依法依规正常运行公司，上市公司出现违法违规的情形，并造成投资者损失的，应当对投资者进行赔偿。

2. 侵权行为说

侵权行为说认为，上市公司退市民事责任是一种侵权行为，投资者可以基于侵权行为提出侵权损害赔偿。应当承认，将上市公司退市民事责任视为侵权行为，比将其视为一种违约责任行为更有利于保护投资者的合法权益，因为后者受到合同相对性规则的束缚。上市公司退市过程中股东权益受到侵害的具体表现有以下三种：

一是上市公司管理层对投资者的侵害。具体表现在上市公司违法违规经营被证券交易所强制退市。

二是证券监管机构或证券交易所侵害上市公司投资者权益。具体表现在证券监管机构或证券交易所对上市公司做出强制退市决定后，股东无救济途径。

三是上市公司在强制退市阶段，对投资者所发布的信息不真实，或缺乏有效的信息披露而造成投资者判断错误，并造成损失。

我国《民法典》第 1165 条对民事权益进行了系统列举，然而，从该条中，我们并没有看到《民法典》对证券侵权行为进行专门规定，投资者因上市公司退市所受到的侵害，只能适用《民法典》的一般条款，但是，具体如何来适用，到底适用《民法典》的哪一条款，学界对此争议较大，有学者主张适用第 1165 条第 1 款，也有学者主张适用第 1165 条第 2 款，有学者则认为，《民法典》采取的是大小搭配的双重侵权责任一般条款，该学者还指出，《民法典》第 1165 条第 2 款不能作为请求权的继承，因为过错推定原则和无过错原则对应着此后的具体的特殊侵权行为类型，受害人不应根据后面的具体规定行使请求权。在司法实践中，上市公司退市民事责任的认定并不需要证明行为人有过错，原告只需要证明被告有违法行为，原告有损害结果，被告人违法行为与原告结果之间有因果关系，即可要求被告承担损害赔偿责任，采取的是过错推定原则。因此，我们不得不面临一个尴尬的局面：对上市公司退市造成的损害提供侵权救济，在我国现行法律中找不到合适的请求权基础。

3. 法定责任说

法定责任说认为，上市公司退市的民事责任是一种法定责任，即通过立法的方式明确规定其民事责任的具体制度和适用规则，而不再通过合同法和侵权法进行演绎和推导。在侵权行为中，许多事实相似案件中民事责任的适用必须依照侵权法的一般责任原则进行演绎和推导，投资者要举证证明被告有过错、原告有损害以及因果关系的存在。这种重复加工的过程对于上市公司退市民事责任的适用存在两个明显的弊端：一是不能满足和适用侵权法对投资者保障的根本目的；二是造成司法资源的浪费，背离其民事责任制侵权救济的初衷和宗旨。法定责任说可以超越侵权救济的一般规定，在合理的范围内尽量拓展民事救济的范围，其优越之处在于简化了其民事责任的构成，减轻了原告的举证负担，有效地保护了投资者的合法权益。实际上，上市公司退市民事责任定性为法定责任的立法并不鲜见，日本《商法典》第 21 条之 22 款、23 款《关于股份公司监察的商法特别例法》规定了董事、执行经理对股东等第三人的责任。将董事对第三人的责任设置了恶意或重大过失的主观要件，董事因虚假陈述对第三人的责任设置了恶意或重大过失的主观要件，董事因虚假陈述对第三人的责任适用过程推定责任原则，除此之外适用过错责任原则。我国《公司法》第 5 条规定了公司应当履行的义务，属于强制性规定，任何公司都不能违背这一规定。而在追究上市公司退市民事责任时，《民法典》与《证券法》之间是一般法与特别法之间的关系，我国《证券法》虽然也规定了上市公司退市的民事责任，但过于笼统，缺乏可操作性，现阶段尚需借助于侵权责任的一般构成要件来发挥作用，将来在完善我国的证券法时，有必要细化立法，或出台专门的司法解释，使上市公司退市民事责任能够落到实处，为投资者提供强有力的制度保障。

本书认为，上市公司退市民事责任比较复杂，在一般情况下，上市公司退市民事责任属于侵权民事责任，而且是一种特殊侵权民事责任，同时在特殊情况下，发生合同责任和侵权责任竞合，当然，这里所指的合同责任包含违约责任和缔约过失责任。为什么认为上市公司退市民事责任属于侵权责任，主要原因如下：

第一，上市公司退市民事责任主要是因为违反法定义务而产生的责任。

各国对上市公司退市民事责任极为关注，上市公司退市行为不仅仅与广大投资者的利益息息相关，而且对监管机构来说，也是一个重要的问题，因此，各国法律都规定了相关的法律法规，如果上市公司退市中侵害了投资者的利益，违反了法律规定，由此可能导致民事责任。因此，是否违反相关的法律法规是考察上市公司退市民事责任性质关键之所在。

第二，采取侵权民事责任有利于保护投资者的利益。

合同本身具有相对性。以合同责任来追究当事人的责任，必须要求责任的主体是合同关系的相对人。在上市公司退市中，只有证券交易所符合这一条件，而除了证券交易所之外，其他人不能承担合同责任。侵权责任不以权利人和赔偿义务人之间是否存在合同关系为依据，上市公司的控股股东、董事、高级管理人员以及会计师事务所、律师事务所等都可以承担责任，承担侵权责任的赔偿范围比合同责任的范围大。

第三，上市公司退市民事责任采用侵权责任有利于法院审判案件。

上市公司退市发生后，受害人人数较多，如果把上市公司退市的案件当作侵权民事责任案件，则法律可以充分利用代表人诉讼或者集团诉讼等诉讼机制来审理案件，既可以节约司法资源，又可以加快审判案件的效率。

二、上市公司退市民事责任的主体

责任主体的确定是民事责任的首要任务，但是由于政治、经济、政策及法律的规定不一样，上市公司退市的民事责任主体范围也是不一样。美国1933年《证券法》第11条规定，如果发现公司对上市申请材料造假，任何获得这种证券的人都可以根据法律或衡平法在任何具有管辖权的法院起诉。日本《证券交易法》、德国《交易法》也有相关规定，而在我国台湾地区，《证券交易法》第20条规定，对于该有价证券之善意取得人或出卖人因而所受之损害，应负赔偿之责。我国《证券法》对上市公司退市民事责任主体进行了规定，体现在《证券法》第78条规定："……不得有虚假记载、误导性陈述或者重大遗漏。"同时，《证券法》第173条也规定了证券服务机构违反法定义务需要承担民事责任。我国《首次公开发行股票并上市管理办法》第25条规定了发行人的民事责任。我国《证券法》第217条明确规定了监管机构人员监管失职的法律责任，从其规定来看，我们可以清晰地知道监管人员监管失职的责任主体。2014年中国证券监督管理委员会出台的《关于改革完善并严格实施上市公司退市制度的若干意见》（以下简称为《意见》），在《意见》第24条做了特别规定："公司及其控股股东、实际控制人、董事、监事、高级管理人员等为上市公司退市民事责任的主体。"

综合我国现行法律法规的相关规定，本书认为，我国上市公司退市民事责任的主体主要有以下几类：

（1）发行人或上市公司及其董事、监事、高级管理人员，和其他直接责任人员；

（2）证券监管机构；

（3）证券中介服务机构；

（4）发行人、控股股东等实际控制人；

(5) 其他机构和人员。

三、上市公司退市民事责任中的违法行为

(一) 违法行为

何谓违法行为? 违法行为是指公民或者法人违反法定义务、违反法律所禁止而实施的作为或不作为。违法行为包括行为和违法性两个要素: 首先, 必须要有一定的行为; 其次, 这种行为必须在客观上违反法律即具有违法性。行为是人类团体受其意志支配, 并且以其自身或者控制、管领物件或他人动作、活动, 表现于客观上的作为或不作为。

何谓违法性? 史尚宽先生认为, 违法性有广义和狭义之分, 狭义的违法性指违反禁止或命令之规定; 广义的违法性包括形式的违法之侵害和实质的违法之侵害。违法性的构成有三种情况: (1) 权利之侵害; (2) 保护法律规定之违反; (3) 违背良俗之故意加害。

张新宝先生认为, 违法行为的违法性表现为: (1) 违反了最广义的法律对加害人所设定的义务; (2) 违反了判例或司法解释等有约束力的规范性文件对加害人所设定的义务; (3) 违反了公序良俗对加害人所要求的义务; (4) 违反了在特定环境下加害人依常识或者诚信原则所应当承担的义务。因此, 对违法性的"法"应作广义的理解。它不仅指民事法律, 还包括宪法、刑事法律、行政法律和其他任何含有确认和保护他人民事权益的内容或含有民事义务内容的法律; 而且从法律渊源来说, 它不仅包括宪法和法律, 还包括行政法规、行政规章司法解释及地方性法规和规章; 它不仅包括具体法律规范而且包括法律基本原则, 只要这些法律含有确认和保护他人民事权益的内容或含有行为人注意义务的内容, 行为人违反它, 其行为就具有违法性。除此之外, 违反善良风俗侵害他人利益的, 也具有违法性。

(二) 证券民事责任中的违法行为

证券民事责任中的违法行为, 是指在证券发行和交易市场中, 公民和法人违反法律法规规定的义务, 实施了法律法规所禁止的作为和不作为。证券违法行为也包括了行为和违法性两个要素。证券违法的行为包括作为和不作为两种形式。作为的违法行为, 是指行为人违反法律规定的不作为义务而为之, 例如操纵市场; 不作为的违法行为, 是指行为人违反法律规定的作为义务而不履行之, 例如虚假陈述。证券违法中的"违法性"是指违反广义的证券法律法规, 即证券法的各种法律渊源。凡是违反这些证券法律法规规定的义务, 便具有违法性。

四、上市公司退市民事责任的归责原则

观察上市公司退市的情形, 我们可以发现, 因人为因素而导致上市公司退市的, 主要有以下几种情况: 欺诈上市、虚假信息披露、操纵市场、内幕交易、公司股东违反诚信义、控股股东利益转移行为等情形。每一种主体在上市公司退市中所扮演的角色不一

样，主观状态也不一样。因此，各类主体承担的归责原则也不一样，一般而言，上市公司退市民事责任的归责原则划分为无过错责任原则、过错推定原则和过错原则。

（一）监管机构的归责原则

根据我国《证券法》第168条的规定，我们可以看出，国务院监管机构管理我国的证券市场。《证券法》第217条也规定了监管工作人员失职的情形。我们从第56条规定的情形中可以了解到，国务院监管机构赋予了证券交易所管理上市公司退市的权利，而从民事责任归责角度来看，投资者与证券交易所没有明确的合同关系，不承担合同责任。但是，投资者委托证券商进入证券市场进行交易，客观上受到了证券交易所自律管理的影响。如果证券交易所在自律管理过程中，损害了投资者的权利，交易所负有责任。

（二）上市公司董事及其高级管理人员的归责原则

对于上市公司退市，董事及高级管理人员违反法律规定的义务而致投资者损害时是否承担责任，主要有两种观点：一种观点认为，上市公司董事及高级管理人员不承担责任。该说认为，董事及高级管理人员在管理公司事务中的行为属于公司行为，一切法律后果需归结于上市公司承担，上市公司最终为其行为承担责任。如果既要上市公司承担责任，同时又要其董事及高级管理人员承担责任，在法理上存在矛盾。另一种观点认为，上市公司董事及高级管理人员应当承担责任。该观点认为，董事及其高级管理人员（股东）或因重大过失而致投资者损害的，不仅违反了作为管理人员对公司应尽的审慎义务，而且违反了法律对其规定的义务。因此，上市公司的董事及其高级管理人员应对他人的损害负连带责任。上市公司中的董事、经理、监事等高级管理人员在上市公司中居于重要的地位。公司的经营决策和执行机构是董事会，其日常工作都是由经理来处理，监督机构为监事会。在上市公司发行证券时，董事会、经理等高级管理人员参与股权分布、财务会计报告等信息披露工作，监事会对董事会和经理进行监管；董事会、经理及高级管理人员应当对股权分布、财务会计报告等真实性、准确性、完整性的行为负责，其监管上会对董事、经理及高级管理人员的行为进行监管，如果股权分布、财务会计报告等有虚假记录、误导性陈述或者重大遗漏的情况，以上人员难逃其责。

对于董事及高级管理人员在上市公司退市中承担的民事责任，在国外，规定各有不同。美国1933年《证券法》第11条规定，发行人以外的其他人对文件中应负责任之部分，如果在生效前，本人已脱离职务、资格或与文件记载无关系，且书面通知证券委员会或发行人，可以行使抗辩权。该条规定了董事及高级管理人员承担适用的是过错推定责任。美国1933年《证券法》第12条规定的也是过错推定责任，但如果根据10（b）-5条规定提起诉讼，则董事及其高级管理人员承担的是过错责任。我国台湾地区之前采用的是无过错责任，后经过修订，采用过错推定责任。美国大部分的州的《公司法》都授权公司对其主管或董事在履行他们的责任时所承担的责任进行补偿，即使公司董事和主管不能胜诉，只要在接受判决结果的同时能够证明他们的所作所为是出于善意的，而且他们确信这样做是为了公司的最大利益，或并不违背公司的利益，所支出的判决协调费、诉讼代理费都由公司承担。

从我国《证券法》第 69 条的规定，可以看到，《证券法》对于发行人、上市公司的董事、监事、高级管理人员和其他直接责任人员、保荐人、程序的证券公司规定承担过错推定民事责任。

(三) 专业中介服务机构负责人的归责原则

专业中介服务机构主要包括会计师事务所、律师事务所、资产评估机构等专业机构。专业中介机构及其负责人的责任也为专家责任或者专家顾问责任。随着科技的发展，一些专业的中介机构在证券业发展中具有极为重要的作用，特别是在证券信息披露中，为其提供专业行性的意见。为了保证证券业的良性发展，同时，为了上市公司保证披露的信息真实、全面、准确，国家明确要求上市公司的信息必须经过专业机构出具证明或者报告书。当然，专业中介机构在证券信息披露过程中根据其作用的不同，承担的民事责任也有所不同。

1. 会计师事务所及负有责任的会计的民事责任

随着社会的发展，会计师行业已经涉及各行各业，因注册会计师的行为导致损害的情况举不胜举，而在上市公司退市中，注册会计师承担的民事责任主要有：与注册会计师有契约关系的上市公司的民事责任、与会计师无契约关系的上市公司的民事责任。与注册会计师有契约关系的上市公司之间的民事责任主要是委托会计师出具报告书的人。与会计师无契约关系的上市公司之间民事责任主要是因信赖会计师出具的报告书进行买卖证券的投资者。

会计师只是和委托其出具报告书或意见书的委托人之间有契约关系，而与第三者无直接关系。我国在会计师承担侵权责任的归责原则问题上，法律界和会计界有着不同的看法，法律界认为，会计师在承担侵权责任的规制原则方面，应当从无过错责任原则到过错推定原则，而会计界认为，应当遵循过错责任原则。从独立审计制度产生至今，其他各国从未适用国无过错责任原则，也未适用过单纯的过错责任原则，从各国的立法来看，日本法和我国台湾地区《证券交易法》均采用过错责任的归责原则，美国、日本证券法、证券交易法认为，注册会计师只对审计报告承担合理的保证责任。本书认为，会计师事务所或会计师在上市公司退市过程中如有虚假记载或不实陈述，应当承担过错推定责任。

2. 律师事务所、评估师等专业机构及负有责任人员的民事责任原则

律师、评估师等专业机构人员在信息披露中对第三人因信赖其出具的报告书或意见书而导致所负的责任和会计师所负担的责任大致相同。各国大多采用过错推定责任。如在美国，律师的责任仍然受到限制，其主要原因是担心扩张的民事责任会扭曲律师热诚地代理客户的能力，并且严重地损坏律师与客户的关系。一般而言，第三人是出于对律师的信赖，他们本身具有较高的专业素养，所出具的报告书或者意见书，得到大家所认可的，如果因为报告书或者意见书导致投资者损失的，应当承担法律责任。

(四)控股股东的归责原则

控股股东在上市公司中占有重要的地位，控股股东可能参与信息披露的决策，因此，控股股东可能利用上市公司做出有利于自己却不利于其他股东的行为。例如，假定上市公司决定本年度无法分红，但是控股股东却要求上市公司不要立即披露此决定，因为这一决定会给控股股东的现金流量带来负面影响，而不利于与其他债权人之间关于再融资的安排。对于控股股东的民事责任，大多国家采用过错推定的归责原则。日本《证券交易法》第 21 条第 1 款第(1)项规定，提交有价证券呈报书是在公司成立之前进行的，该公司的发起人负责任，但在证明不知晓或经相当注意亦不能得知记载有虚假或欠缺时可免责。因此，在日本，发起人承担过错推定责任。美国 1933 年颁布的《证券法》第 15 条规定了控制人承担的责任。我国《证券法》第 69 条规定了违法信息披露义务上市公司控股股东的法律责任。由此可见，控制股东、实际控制人所承担过错推定的民事责任。

五、上市公司退市民事责任的因果关系

上市公司退市民事责任的因果关系主要是指投资者的损失是由于上市公司退市行为所导致的。在民事责任中，因果关系是联系违法行为与损害之间的纽带，它是民事责任构成的一个必不可少的条件，占有中极为重要地位。

美国对上市公司退市民事责任的规定，既有法律明确规定的民事责任又有默示的民事责任。其在《证券法》和《证券交易法》中对上市公司退市的民事责任多有规定，但根据不同的法律条文提出诉讼的因果关系证明的要求也不一样。美国 1943 年《证券交易法》第18(a)条规定，任何人根据证券交易法向联邦证券交易委员会呈报文件时，如果作了虚假陈述或有遗漏，应对任何信赖该呈报文件并以受该陈述影响的价格买卖证券而受到损失的投资者承担赔偿责任。日本《证券交易法》第 17 条规定提起诉讼的原告必须证明：(1)计划书或其他说明书有重大虚假或误解；(2)原告并不知道该重大虚假或误解；(3)确定由于虚假陈述或重大误解导致的损害。证券购买承担证明发现人的虚假陈述或重大遗漏导致他所主张的责任。第 18 条规定，呈报书虚假记载或遗漏的民事责任，对呈报人实行无过错责任，举证责任由注册登记人即被告人承担。换言之，由被告承担证明行为和损失之间无因果关系。

因果关系证明是一个极为困难的过程，在世界各国都是难题，而在上市公司退市民事责任的因果关系，因涉及面极广，如上市公司、监管机构等主体，成为保护投资者的一道道障碍。在我国《证券法》未明文规定上市公司退市民事责任的因果关系，实践中也未审一起此类案件。依照我国的《民法通则》《证券法》的相关法规，原告需证明上市公司退市行为导致投资者损害之间有因果关系十分困难。我国最高人民法院出台的《关于审理证券市场因虚假陈述引发的民事赔偿案件的若干规定》，只适合虚假陈述类的侵权案件，尽管虚假陈述也有可能出现在上市公司退市前后，造成投资者损害，但毕竟不能完全适用于上市公司退市民事责任因果关系的判断。从这个角度来看，我国对上市公司退市民事责任因果关系的法律规定极为匮乏，也使得受害者无法可依。

本书认为，美国及日本等国家的民事责任因果关系的经验，为我国提供了一定的借鉴，对于我国上市公司退市民事责任因果关系的确定，以下几个方面可以作为参考。

第一，在《证券法》及相关法律中直接规定上市公司退市民事责任。

鉴于其因果关系证明困难，可以借鉴美国《证券法》第20A(a)条的规定，明确规定在一定情况下推定具有因果关系，即不用证明因果关系，通过立法的方式具体规定上市公司退市民事责任因果关系的适用，而不是通过侵权法演绎推理，即可以避开因果关系，主观心态等问题，还能有法可依。

第二，采用因果关系推定理论。

例如，在上市公司退市前，其通过欺诈行为，欺骗市场，受害者往往是无辜的投资者，上市公司的欺诈行为的隐蔽性、技术性极高，非专业的监察机构是无法发现作案线索的，这种情况就决定了对于欺诈的行为只能由专门的机构来调查，而非普通的投资者。正是认识到这样的客观情况，美国等一些国家放弃了传统的"谁主张、谁举证"，而改为采用因果关系推定说，赋予善意的投资者起诉权，加强投资者保护。我国应当进一步明确上市公司退市民事责任的因果关系问题，或者颁布专门的细则，并且依据《证券法》保护投资者利益的立法原则，全面完善包括上市公司退市民事责任在内的证券民事责任相关规定。

第三，借鉴国外经验，完善我国上市公司退市民事责任因果关系。

从日本证券法律制度可以看出，尽管日本的证券法律是借鉴美国证券法律制度构建起来的，但由于两国法律体系的不同，在具体的运用效果上也有所不同。我国应当借鉴国外先进的法律制度，同时，也要考虑我国基本国情，完善我国上市公司退市的民事责任理论。

六、上市公司退市民事责任损害赔偿

损害赔偿旨在保护个人以及组织人身、财产等权利、利益不受侵害。一旦受到侵害，行为人负有填补损害的责任。德国《民法典》第249条规定："损害赔偿应恢复损害事故没有发生时应有的状态。"投资者的损害主要是指投资者的经济损失，确定损害赔偿数目确实是一个难题，世界各国在确定赔偿数额时主要有以下几种方式：一是从原告角度出发，即计算原告的实际损失；二是从被告的角度出发，即计算原告违法行为所获取的利益。从理论上讲，应当从原告的损失出发，赔偿原告所遭受的损失，但在很多场合，由于计算原告的损失比较困难，也可以被告所获的利益为标准。

美国《证券交易法》第9条e款规定："任何人故意参与违反本条(a)(b)(c)款规定的活动或交易，其应对以受该行为所影响的价格买卖该证券的人负责，受损害的人可以向有管辖权的法院以普通法或衡平法提前诉讼，要求赔偿所主要的由于该行为导致的损失。"我国《证券法》也未规定具体的损害确认方式，对于我国上市公司退市民事责任的赔偿如何计算呢？本书认为，计算赔偿数额应从原告的角度出发，具体的计算可以采取：

第一，实际计算法。

实际计算法即价格被操纵或者被欺诈等违法行为的，证券的真实价格与给付价格之间的差额。只有真实价格无法确定，可以借鉴我国台湾地区的做法，拟定一个真实价格，即违法行为前10个营业日收盘平均价格，其与买卖证券给付的价格之差即是赔偿额。

第二，差价计算法。

差价计算法是指损失赔偿额等于股票交易时价格与违法行为时或此后一段合理时间内的股票价格差额。可以借鉴美国的做法，以证券交易时的价格与违法行为信息公开后90天内该证券的平均价格之间的差额为赔偿额。

第三节　上市公司退市民事责任的司法救济

上市公司退市民事责任的司法救济，主要是指证券市场的投资者，在遭遇上市公司退市，人民法院应当对于这种行为给予有效的救济。司法救济是投资者合法权益保障的重要手段。证券市场的投资者因为上市公司退市，利益受到损失，只有向人民法院或者仲裁机构寻求救济。但是，相当多数量的证券案件无法受理。因此，上市公司退市需要构建完善的民事责任司法救济体系。

一、上市公司退市民事责任司法救济的一般方式

我国证券法立法存在重行政管制轻民事救济的传统，证券市场的发展主要体现在以政府为主导的强制性制度上。在上市公司退市民事责任的司法实践中，对于上市公司退市的违法行为的处理主要采取行政处罚的方式来处理，对于受害人没有给予补偿，投资者要求违法承担民事责任的诉讼通常被法院驳回诉讼请求。我国政府长期以来，对证券市场发展与投资者保护之间的关系存在认知的偏差，没有树立保护投资者权益的理念，对于投资者的私权救济表现出淡漠的态度。我国《证券法》未为上市公司退市民事责任提供明确的法律依据，由于缺乏具体的可操作性规则，投资者在主张权利时存在不少障碍。一般而言，上市公司退市民事责任的实现，还是需要通过诉讼方式。

二、探索适合我国国情的上市公司退市民事诉讼形式

关于我国上市公司退市民事诉讼形式的选择，学者存在三种观点，第一种观点认为，应当在坚持我国《民事诉讼法》规定的诉讼代表人制度的基础上，进一步完善该制度；第二种观点认为，应当以英美法系国家的集团诉讼作为我国证券诉讼的基本形式；第三种观点认为，可以在完善诉讼代表制度的同时，引进英美国家的集团诉讼制度。本书认为，选择适合我国国情的上市公司退市民事诉讼形式，不能不顾国情进行法律移植，美国的集团诉讼制度、英国的代表人诉讼制度、德国的团体诉讼制度、日本的选定当事人制度，都是按照其法律文化的传统构造起来的，都有其独特的制度运行环境及其生存的土壤，不具有普遍性。而我国《民事诉讼法》规定的代表人诉讼制度虽然在内容上存在不足，在保护投资者利益方面不够充分，但我们可以通过借鉴美国证券集团诉讼、股东派生诉讼制度的合理因素来完善我国的代表人诉讼制度以解决这些问题。

另外，我们也可以选择非诉机制来解决这一问题，比如 ADR 制度，其具有特有的、

不能为诉讼机制所代替的高效、便捷、经济成本的优势，是诉讼所不能具备的，同时ADR以调解、仲裁甚至是和解、投诉等丰富的表现形式，达到保护投资者权益的目的。另外，我国实践中存在证券解决纠纷的方式还有当事人和解、向主管机关投诉等方式。

三、上市公司退市民事诉讼机制的实现路径

在我国，由于法治建设远不能满足实践的需要，尤其表现在新生的证券法领域，上市公司退市制度中诉讼机制的不完备，极大地损害了投资者的利益。为了更好地实现诉讼机制对投资者权益的保护功能，本书建议通过以下几个环节完善我国上市公司退市民事诉讼机制。

第一，设定合理的上市公司退市民事责任体系，为诉讼机制的良性运转奠定基础。

诉讼机制运行的优劣，首先取决于责任涉及的精细程度，责任设定越缜密，诉讼机制的实现可能性越大。责任方式与赔偿机制的良好设定，是司法机制政策运行的前提。我国受传统文化的影响，民刑不分，责任体制失衡，忽视民事责任的作用，在一定程度上影响了司法机制的正常运行。例如，在《证券法》中，仍然弥漫着重公法、轻私法的色彩，特别是对上市公司退市民事责任给予投资者的救济功能关注很少，这在一定程度上影响了借助诉讼机制对投资者的赔偿性保护。此外，诉讼方式局限于传统类别，以及民事赔偿方式过于简单，相当程度上消减了诉讼机制的效力。因此，应当规范上市公司退市民事责任体系，将传统民法领域内的成熟理论与实践及时适用于特别法领域内，特别是在证券领域内的纠纷解决，如侵权责任理论中的归责原则、因果关系、损害赔偿等问题的研究能够直接提供证券欺诈等行为的基础责任模式。

第二，在上市公司退市民事诉讼制度的设定上，除了普通诉讼制度外，应当完善代表人诉讼体制，解决股东派生诉讼等国外的良好制度经验。

我国应当针对代表人诉讼体制的缺陷加以改良。作为衡平法的一项特殊制度，股东派生诉讼在西方国家《公司法》中被视为是股东保护的最后一道屏障，这一制度为法院提供了针对那些因公司被不忠实董事、管理人员及多数股东所控制而投诉无门的受欺压的小股东主持正义的机会，同时也起到了鞭策和警告公司经营者，使之不至于在将来对小投资者实施同样的加害行为的作用。因此，在我国未来的投资者权益保护体系中，可以进一步考察股东派生诉讼制度的价值，在适合我国国情的基础上予以使用。

第三，建立可行的上市公司退市民事赔偿机制。

与实现设定责任规则的责任制度不同，这里的赔偿机制主要是指涉及赔偿规则，例如数额计算的具体实施办法，具体在措施上，可以建立投资者赔偿基金，并探索建立投资者保护公司的模式。建立适合上市公司退市民事责任特别的赔偿计算形式，可以借鉴国外的直接损失法、赔偿期待利润法等赔偿方法。对于投资者而言，真正关心的是经济上的补救，我国原有的法律规定过于抽象，并且以行政、刑事手段为主，受侵害的投资者反而常常追偿不到实质的利益。合理的赔偿机制不仅可以分散市场风险，切实防范和化解系统风险，实现监管目标，而且有利于确保社会的安定。该机制的建立将有利于从制度上保护投资者的利益，增强投资者对证券市场的信心，提高投资者入市的积极性。

第五章　上市公司退市制度的构建

为某一国人民而制定的法律，应该是非常适合该国的人民。所以，如果一个国家的法律竟能适合于另外一个国家的话，那是非常巧合的事情。

——查理·路易·孟德斯鸠

第一节　我国建立完善的上市公司退市制度的必要性

上市公司退市是一直制约我国证券市场发展的重要问题之一，而解决这些问题的关键点在于建立完善的上市公司退市制度。虽然我国已经有一些相关的上市公司退市的法律制度，但实践中还很不完善，而且有一些规定已经不适应现实发展的需要。我国建立完善的上市公司退市制度，具有理论和现实的必要性，只有建立完善的上市公司退市制度才能更好地提高公司治理，有效改变我国公司制度不完善的局面。通过完善的上市公司退市制度，促进上市公司改变现有公司治理结构，同时有利于资本市场优化资源分配，也能更好地保护投资者的权益。

一、建立退市制度是规范公司制度的需要

市场经济应当是一个双向开发的市场，即是"有进有出"的市场。证券市场作为市场经济的一部分，同样也不例外。对于证券市场中的上市公司，有着严格的上市条件，同样也应当具备严格的退市规定。因此，建立完善的退市制度，必然促进我国公司制度的规范和完善。退市规定的内容主要体现在以下两个方面：一是建立完善的退市制度，将有效规范证券市场机制，提高市场进入标准及退出标准，有效发挥市场约束机制，督导公司审慎经营、持续发展、控制风险。二是将有效改变我国国有企业传统的企业制度。我国企业长期在计划经济体制下运行，习惯了"负盈不负亏"，市场风险意识淡薄，建立完善的退市制度，将对传统的国有企业造成极大的冲击，将有效改变国有企业经营模式。因此，建立完善的退市制度，完善的市场约束机制，将有效地规范我国公司制度。

二、建立退市制度是改善法人公司治理结构的需要

上市公司是证券市场的基石，决定上市公司质量的因素很多，但公司治理具有基础

性的作用。在我国，上市公司治理存在形同虚设或治理效率低下等情况，虽然有国有资产监管的历史问题，但退市机制的缺乏，却有着推波助澜的作用。由于我国证券市场长期缺乏退市意识，导致上市公司缺乏重塑公司治理的压力和动力，缺乏优化经营机制的紧迫感，甚至导致部分上市公司不思进取，融到巨额资金后很快就会低效运作消耗掉，业绩逐年下降，形成"一年优、二年平、三年亏"的奇特现象。同时，退市制度的建立，将有效加强对上市公司经理层的约束。在上市公司中，随着股权的分化，公司董事会的控制权开始由股东手中转移到管理人员中，如何通过公司的内部制度确保股东的利益不受到公司管理人员的侵害，是公司治理需要解决的一大问题。完善的退市制度，有利于加强股东对公司经营决策的参与，特别是中小股东公司决策的影响力。有效促使控股股东履行对公司的督导、关注、监管的义务，更能有效抑制大股东特别是内部人对小股东权益的肆意侵害。

三、建立退市制度是优化资源分配的需要

优胜劣汰是市场经济的基本法则，资本市场同样不能例外。资本市场具有优化资源分配功能，决定资本市场的准入，必然要有一定的标准。在经济周期作用下，个别上市公司难以持续维持上市标准，为了保持市场效率，避免"劣币驱逐良币"发生，资本市场需要不断吸取优质公司上市，同时也要淘汰劣质的上市公司退市，通过吸纳优质公司上市的过程，为资本市场注入新的活力，同时提高上市公司整体质量，提高资本市场的资源分配效率。证券市场在优化资源分配方面，主要通过两种途径进行，一是在证券市场内部对所有进入资本市场的资源进行优化；二是通过与其他市场的资源交流从而实现更大范围的资源优化配置。退市机制，就是通过第二种途径，使一些不适合在证券市场交易的资源退出证券市场，以达到资源的更优配置。退市制度，在一定程度上对业绩不良的公司形成威慑作用，证券交易所对业绩的不佳的上市公司，进行退市风险公告，被公告的公司就会千方百计地扭亏业绩；同时，也是对企业业绩尚可甚至优质的上市公司的一种挑战。

四、建立退市制度是保护投资者权益的需要

在我国资本市场，由于长期缺乏退市机制，使得一些业绩不佳的上市公司持续停留在资本市场。如"ST"类公司尽管业绩低下，但由于公司只生不死，且有一个金光闪闪的"壳"，有一些公司为了避免首次发行IPO的严格条件和程序，便以置产重组的方式借"壳"上市，上演了一幕幕的"咸鱼翻身、乌鸦变凤凰"的好戏，在这好戏中，投资者，特别是中小投资者，利益受到了严重侵害。证券市场如果只是一个只能进不能出的市场，那么证券市场的风险就被扭曲了，投资者的权益得不到合理的保障。发达证券市场的经验告诉我们，业绩不好的上市公司充斥证券市场，必将加大市场的投机性，从而侵害投资者的利益。建立合理的退市制度，借壳上市、资产重组的情况就会减少，有利于投资者的权益，抵制投机行为，更能规范市场的运作，全面、完整地揭示证券市场的投资风

险，从而引导投资者正确、理性地进行投资。

第二节　建立完善的上市公司退市规则体系

近年来，我国对上市公司退市颁布了一系列的规范性文件，已经初步形成了我国上市公司退市制度，但是，具体的规则还显得比较粗浅，随着证券市场的发展，还需要进一步完善。对于构建我国上市公司退市规制体系而言，具体应从以下几个方面完善。

一、设定科学多元法定的退市标准

2012年，我国对上市公司退市制度进行了改革，此次改革主要是通过对现有的上市公司制度进行完善。而在当下，在2020年，《证券法》修改完成，在法律层面完善了我国上市公司退市制度，使上市公司退市标准更加多元化和科学化。

（一）进一步细化我国上市公司退市的标准

退市标准是上市公司退市制度的核心，一般划分为数量标准和非数量标准。对于上市公司退市标准，从发达国家证券市场来看，越来越趋向于具体化和精确化，而我国上市公司退市的标准较为单一和笼统，应当加以完善。对于如何完善，应当从以下几个方面着手。

1.细化上市公司股本总额与股本结构标准

我国上市公司退市主要的标准是依靠"三年连续亏损"这一规定，标准过于单一，上市公司通过会计造假避免退市的危险，是造成上市公司退市难的问题所在。我们从境外成熟证券市场所制定的上市公司退市标准来看，尽管存在差异，但也有很大的一致性，具体而言，美国、英国、日本等几大证券交易市场的退市标准主要包括内容有：公众股东人数低于交易所规定标准、股票交易量极度萎缩或低于交易所规定的最低标准、上市公司因资产处置、冻结等因素而失去持续经营能力、法院宣布公司破产清算、财务状况和经营业绩欠佳、不履行信息披露义务、违反法律、违反上市协议等。从性质上看，这些标准可以分为数量标准和非数量标准两大类，也就是从定量与定性方面考虑上市公司不符合继续上市的条件。其中数量标准主要包括上市公司的股票市值、股东权益、公司总资产、股权结构等这些可以从数量上进行衡量的条件，而非数量标准则是指不能用数量标准进行衡量，只能从本质上给其加以定性的要求，包括信息披露行为、重大违法行为、公司治理结构行为等方面。这种定量与定性相结合的退市标准，有明显的科学性。从定性上来说，对公司治理结构和信息披露的要求是保障上市公司规范运作，保护投资者合法权益的需要，更是维护"三公"原则的基本条件，这些标准一旦被破坏，将危害到整个证券市场的基础，因此，对于我国上市公司退市的标准，本书建议可以参与以上两种分析方式进行细化，将有效地完善我国上市公司退市的标准。

2. 明确"公司重大违法行为"的标准

关于重大违法行为的退市标准，我国上市公司退市制度至今没有给出明确的标准，不能仅仅规定原则性的条文。由于上市公司退市的重大违法行为具有多样性，有可能涉及刑事责任、民事责任和行政责任，如果只是泛泛规定其违法行为的条款，将严重影响责任划分的标准，也不具有可操作性。因此，我国上市公司退市制度中关于公司"重大违法行为"的规定不能过于笼统，要给予明确的标准，并且出台具体的规则，将有利于上市公司退市制度的完善。

3. 修改"上市公司三年连续亏损"的标准

应当将"上市公司三年连续亏损"的标准修改为"累计亏损"标准，这里所指的"累计亏损"是从上市公司第一次亏损年度开始计算，历次亏损总额达到净资产一定比例时即暂停上市，当该比例达到更高的标准时终止上市，而公司要恢复上市则必须在一定期限内使累计亏损减少到一定比例。把"上市公司三年亏损"的标准修改为"累计亏损"，具体有以下两个方面的原因，一是以"连续三年亏损"为退市标准易造成不公平。比如，一个上市公司连续两年巨额亏损，但是第三年微薄盈利，即没有达到"三年连续亏损"的标准，不用退市；而另一上市公司，三年稍微亏损，达到"三年连续亏损"的退市标准，证券交易所强制暂停股票交易，这一种退市标准，极容易造成不公平，但是，该标准却是我国上市公司退市的重要标准之一。二是"累计亏损"是采用累积额度，而不是某一个年度的盈利，如果上市公司不想被退市，只有时刻考虑提高公司的经营以及竞争力，这样就能够有效地改善上市公司的治理结构。

（二）进一步完善我国上市公司退市的程序

1. 设置多元化的退市程序

上市公司退市的原因很多，针对不同的退市标准，应当制定不同的退市程序，可以使得上市公司退市的程序更为合理，具体可以划分为以下几种：

一是股本数额、股权分布不符合上市的标准。因股本总额、股权分布发生变化不再具备上市的条件，证券交易所应当在二日内通知上市公司，并要求上市公司进行整改，在整改期内上市公司股票实行 ST 交易，如果整改期内符合上市标准，则上市公司股票恢复证券交易，如果上市公司在规定限期内仍不能达到上市条件的，证券交易所终止其股票上市交易。

二是因上市公司财务状况不符合上市的标准。因财务状况不符合上市标准的，主要是因公司破产、清算或资产冻结、受损等情况，对于因公司破产、清算退市的，如果上市公司债权人提出破产的，法律在受理案件期间，暂停上市公司股票交易，如果上市公司和债权人达成协议，公司应当公告整改方案，在场外市场交易，整改期结果，如果符合上市标准，股票恢复交易，反之，仍然在场外市场交易。若上市公司和债权人未达成协议而进入了破产清算程序，上市公司股票终止交易。对于因资产冻结、受损而失去经营能力的上市公司，应当对其股票实行 ST 处理，如果恢复正常经营，取消 ST，上市公司正常交易，如果不能恢复经济，则终止上市公司股票，进入清算程序。

三是因违法违规而不符合上市标准的。对于因违法违规的退市的程序，需要经过有关部门的调查处理，在调查处理期间，股票需要暂停交易，调查结果意见出来后，若属于违法违规行为，股票终止交易，相关责任人承担相应的责任；若未构成违法违规，恢复股票上市。

2. 完善上市公司退市整改期限

证券交易所在发现上市公司低于上市标准后，应当给予充分的整改宽限期，督促企业采取有效措施进行整改，重新达到上市的标准，在企业整改期内，证券交易所要对企业定期检查，重点检查企业是否按照整改计划执行，如果企业未按照证券计划执行，要及时督促企业及时改正，如拒不改正，可以做出终止上市的决定。

3. 建立复议与听证程序

证券交易所对上市公司做出退市决定后，应当书面告知上市公司说明决定的原因以及退市的依据，并告知上市公司有异议的权利，上市公司可以在 30 天内向证券交易所的上市公司退市审查委员会进行听证复议，证券交易所上市公司退市审查委员会的组成人员可以聘请相关领域的专家，以保持专业性和独立性，如果证券交易所上市公司退市委员会裁定退市，上市公司可以向证监会进行复议，证监会为最终裁决，如果上市公司仍然不服裁决，可以上诉人民法院，进行相关诉讼。

二、建立科学的上市公司主动退市制度

上市公司主动退市，是上市公司一项基本权利。在发达国家证券市场，上市公司主动退市是一种极为正常的事情，上市公司为了维护自身的声誉、防止被其他公司恶意收购，都会采取主动退市。但是，在我国由于上市标准极高，"壳"资源稀缺，上市公司为上市付出了较大成本，很少有上市公司愿意放弃极为昂贵的"壳"资源，选择主动退市。目前，由于我国法律对上市公司主动退市缺乏有效的规定，造成侵害投资者利益的事件时有发生。因此，我国必须对上市公司退市制度进行有效地完善。

(一) 在法律层面明确上市公司主动退市决策程序

上市公司主动退市，对股东的影响极大，对于具体的退市决议程序，本书建议，应当在《公司法》中对其进行专项规定，这样才能有效地保障股东的合法权益。上市公司退市决策程序主要内容包括：对于已经决定上市公司不在证券交易所进行交易，或者其股票转移至其他证券交易所的，上市公司应当召开股东大会进行表决是否进行主动退市，对于上市公司主动退市，必须要安排中小股东所持表决的三分之二以上通过，同时，上市公在召开股东大会时，应当充分披露退市的原因及其退市后的发展，如并购重组、经营战略发展、重新上市的安排。独立董事要针对上述的事项征求中小股东的意见，发布独立董事意见，一并进行披露。

(二) 建立科学合理的主动退市独立审查人机制

在上市公司主动退市过程中，会涉及主动退市公司，应当聘请财务顾问为主动退市

提供专业的审查工作，在主动退市中，常常会涉及股东之间的现金补偿工作，非专业人士无法涉足。因此，在上市公司主动退市制度中，应当建立主动退市独立审查人机制。独立审查人，将有效地完成主动退市的财务审核、股东之间的现金补偿，同时出具专业的书面审查报告。

（三）建立有效的异议股份回购程序

上市公司转为非上市公司时，有股东不同意转为非上市公司，在此情况下，其他股东可以把持不同意见的股东的股份进行回购，在回购过程中，要遵守公司法律制度，严格履行回购的程序。

三、建立科学的证券市场股票定价机制

（一）建立完善的风险警示机制

对于上市公司退市，要建立完善的风险警示机制，将有效地保护中小投资者的利益。对于有风险的上市公司，要积极地和地方政府进行沟通和协调，提醒地方政府做好对上市公司退市风险的控制。

（二）建立完善的信息披露机制

在上市公司退市制度中，证券信息披露机制是不可或缺且极其重要的机制，没有信息，公众将不知所措；在信息充分披露的前提下，公众方能得到合适的解决方案，才能减少不必要的损失。依靠强制性信息披露，以培养、完善市场机制的运转，增强市场投资者、上市公司管理层对市场的理解和信心，是各国或地区上市公司退市监管日益广泛的做法。因此，我国在上市公司退市中，要建立完善的信息披露机制，风险公司要做好退市信息披露工作，早公开、早披露，尽量释放风险。

（三）建立完善的舆情监控和引导机制

在上市公司退市中，媒体作为强制性信息披露的载体，在理论上可以使证券市场信息分布更为均匀，同时，媒体对公共权力机构和上市公司的揭丑行为又可以改善证券交易所和投资者之间、投资者和上市公司之间的信息不对称状态，从而保护中心投资者的利益。因此，建立完善的舆情监控和引导，及时掌握媒体和证券市场的动态，做好应对的措施，并且主动做好引导工作，将能够有效地维护证券市场的稳定。

第三节　建立完善的上市公司退市监管体系

一、对上市公司退市监管机构进行正确的定位

一个监管主体地位的真正确立，首先要从法律上对此做出明确规定。对上市公司退市监管的主体——中国证券监督管理委员会的法律地位进行合理定位，最主要、最直接、最有效的途径是通过具体的证券管理立法。在立法方面，可以参照《中国人民银行法》的办法，与已属行政机构系列的中国人民银行相比，作为行使行政管理职能的非行政机关，中国证券监督管理委员会更需要获得法律的确认。我国立法部门应尽快修改相关的法律法规，特别是《证券法》的相关条款，并把上市公司退市监管机构的法律地位、职能、组织机构等专门的条款加以明确，具体是：一是明确规定中国证券监督管理委员会为我国上市公司退市监管机构，中国证券监督管理委员会授权于证券交易所，依法对上市公司退市进行统一、集中监管；二是将中国证券监督管理委员会定位为国家行政机关，直接接受全国人大的监督；三是明确规定中国证券监督管理委员会的职权、职责及机构和编制，增强其独立性。同理，如果只注重事后监管，寄希望于用事后严厉处罚的威慑作用，用这样的方式减少违法行为，则将会面临违法行为和风险成为既成事实的无奈窘境。

二、完善上市公司退市监管机构的权力运行机制

第一，我国上市公司监管机构在监管中应坚持控制风险为本、适度监管的监管理念，减少大量的、不必要的审批（审核）权，将监管重心从事前审批逐步向事中检查与事后监管转移。我国上市公司退市监管机构要增强事后查处意识、权力和手段，用事后严查严处带来的恐吓力来弥补"防患丑闻公司于未然"的不足。我国证券市场是新兴市场，法律体系不够完善，对上市公司退市中违法违规的查处缺乏有力的手段，导致事后查处的力度不够，对于严重的案件，除了少数适用刑法外，大多以行政处罚和罚款为主，而且对上市公司出发的力度要比处罚有关管理层责任人的力度要大些。然而，对上市公司进行处罚，直接受损害的是股东利益，我国有关股东的民事赔偿制度并未完全建立，导致管理层违规所付出的代价与其在高风险下获取的收益不成比例，因此，处罚未能达到应有的警示作用。

第二，我国上市公司退市监管也要适当注意事前监管、事中检查与事后监管有机结合，以全面发挥监管效果。监管重心从事先审批转向事中检查、事后监管，是完善我国上市公司退市监管制度的一个重要方向。与此同时，仍然需要重视有效地事先防范，只看重事先审批，会导致证券监督管理委员会审核、审批权力的不当膨胀，不利于形成有效制约地监督权力机制，从而有可能对市场的自我发展产生负面影响。

三、妥善处理好与自律机构的关系

当前，我国证券交易所与证券监督管理委员会之间的权责还比较模糊，某些属于证券监督管理委员会行政监管的职能由证券交易所的数据职能代替，如上市公司退市的权利。有些应当属于证券交易所的自律监管的职能以证券会的行政监管职能的形式存在。在证监会与交易所之间，不仅是监管与被监管的关系，更类似于领导与被领导的关系。实践证明，证券监督管理委员会与交易所的职责不明，对市场发展极为不利，而且证券监督管理委员会行使了证券交易所职能后，容易过分干预市场，带来监管的无效，并使证券监督管理委员会决策风险增大，缺乏缓冲机制。理顺证券监管与自律监管体系，应充分发挥自律监管组织，特别是证券交易所一些监管职能。

对于上市公司退市机制而言，如何理顺证券监督管理委员会与证券交易所之间的职能划分，本书认为，应当从以下三个方面着手：

一是在《证券法》中明确规定上市公司退市制度，明确规定证券监督管理委员会、证券交易所对于上市公司退市的职权划分，减少证券监督管理委员会的行政干预。

二是应明确证券交易所对于上市公司退市的主体地位，强化证券交易所的自律功能，对于上市公司退市的具体标准授权于证券交易所制定，以增强其灵活性，扩展证券交易所的管理视野。

三是借鉴海外的成功实践，结合我国的国情，建立分层次的互相促进、互为补充的上市公司退市监管体系。

四、健全监管制约机制

对于如何健全监管制约机制，本书认为，主要从立法监督、司法监督、行政监督和内部监管四个方面进行构建，具体如下。

（一）立法监督

1. 严格规定监管部门制定规则及有关规则的程序

我国上市公司退市监管机构具有部门规则的制定权，这些规章的内容往往涉及我国证券市场上大量无先例、无参照物、无明确界定的概念。对于这些概念的界定、规范，往往会牵动多方面的利益。为了对规章制定权进行制约，需要通过立法严格规定监管部门制定规章及有关规则的程序，提高规章制定的公开性和透明度，防止权力的滥用、误用。

2. 建立对上市公司退市监管机构的公开听证制定

立法机关应该在上市公司退市的法律法规的制定过程中，允许相关利益主体参与，以增加这一程序的透明度和实现社会监督，同时建议取消委托国务院证券主管部门起草相关法律的做法。在立法的过程中，应当建立完善的听证程序，防止监管机构监管权力滥用。

3. 建立年度报告审查制定

各国立法机关大都通过建立年度报告审查制度，加强对证券监管部门职能履行情况的监督。因此，对我国上市公司退市机构的监管，也可以借鉴此办法，在法律中对此进行规定：中国证券监督管理委员会及证券交易所，对上市公司退市的情况，向全国人大提交年度报告。

4. 建立监管机构及其工作人员的法律责任

在强调健全证券市场其他主体法律责任、强调监管机构加强执法的同时，还必须通过立法强调监管机构及其工作人员在实施监管时的法律责任，以便保证监管权力的正确行使和监管义务的及时履行。

(二) 司法监督

1. 设立专门机构对上市公司退市监管部门的决定进行司法复议

中国香港和英国等地区和国家，除了行政复议这一途径外，还通过专门的机构对证券监管部门的决定进行复议，因为，我们也有必要借鉴上市国家和地区的做法，设立专门的机构对证券监管部门的决定进行司法复议。

2. 理顺上市公司退市监管与司法监管体制的关系

我国证券监管与现行对证券监管的司法监管体制之间的关系，还没有完全得以理顺，司法监管的效能在证券市场的发展和有效地防范市场风险中的体现，还不够理想，特别是在上市公司退市中的重大违法行为，还没有得到有效地遏制。因此，我们应尽快理顺证券监管与司法监督的关系，充分发挥法院等司法机关的监督作用。

(三) 行政监督

在行政监督方面，主要是建立上市公司退市违法行为查处权的监督制约机制。在履行对上市公司退市中的违法行为的查处职责方面，制约机制的重点在于调查权与处罚权的分离。上市公司监管机构应当建立完善的行政处罚机制，即案件调查工作和案件审理工作分别由不同的部门承担，确立调查权与处罚权互相配合、互相制约的机制。同时，保障行政复议工作的相对独立性，完善复议监督机制，也是健全违法行为查处权的制约机制中的重要环节。

(四) 内部督管

对于内部监管，主要从以下几个方面规定：

一是在管理机制上，要完善内控机制，特别是内部监督机制。

二是要实现真正的委员会制度，在委员会中设立非执行委员和财政预算委员会、督核内部委员会等委员会。

三是证券交易要有专门的监督机构，同时设立监事会，设立财政预算和督核内部专员，实现内部监督。

第四节　建立完善的上市公司退市民事责任体系

一、建立完善的民事赔偿制度

在上市公司退市过程中，往往受到侵害的是中小投资者，对于他们的合法利益，应当加以保护。为解决这一问题，我国应当建立完善的上市公司退市民事赔偿制度。对于如何完善我国的民事赔偿制度，本书认为，应当在以下两个方面加以明确。

1. 明确上市公司退市中重大违法行为

对于明确上市公司退市中的重大违法行为的民事赔偿，我们要明确在上市公司退市中的重大违法行为，此类违法行为一般包括两类：

一是欺诈发行的民事赔偿。涉嫌欺诈发行，主要是在上市公司首次公开发行股票申请、披露文件存在虚假记载或者存在误导性陈述或者存在重大漏洞，致使不符合发行条件的发行人骗取了发行资格，因而被证券交易所依法暂停交易。

二是重大信息披露违法的行为。上市公司日常的信息披露文件存在虚假记载或者重大漏洞，情节比较严重，被证券交易所依法暂停其股票上市交易而退市的行为。

2. 明确上市公司退市中重大违法公司及相关责任主体的民事赔偿。

上市公司退市中重大违法公司及相关责任主体分为两个方面：

一是公司及其控股股东、实际控制人、董事、监事、高级管理人员等相关责任主体。如果是因为他们的过错而导致上市公司退市，并且使得投资者的合法利益受到损害的，则需要赔偿投资者的损失。至于赔偿的方式，控股股东有义务向中小投资者赔偿，也可以通过回购股份的方式赔偿投资者的损失。

二是相关的中介机构及其负责人。如果是因为中介机构，如会计师事务所、律师事务所因为财务虚假或者信息披露等原因导致上市公司退市，并且使得投资者遭受损害的，则由相关中介机构或者中小机构的主要经营管理人员，负责专门事项的专业人员向投资者进行赔偿。

二、建立完善上市公司退市群体侵权诉讼制度

我国代表人诉讼制度的确立，为证券市场侵权诉讼提供了便利，但是，我国群体侵权诉讼制度还存在一些缺点，这些缺点极大妨碍了证券市场投资者利益的保护。在发生上市公司退市时，往往受侵害的投资者不是单个人，而是众多的投资者的利益受到侵害，因此，为了更好地保护投资者利益，本书建议在上市公司退市民事责任诉讼中完善群体诉讼制度，以达到保护投资者利益之作用。

（一）修改我国《证券法》《民事诉讼法》及相关法律，完善我国上市公司退市侵权诉讼制度

我国的代表人诉讼制度是具有中国特色的制度，它综合了美国的集团诉讼和日本的选定当事人制度的特点，比较适合我国的国情。但是，代表人诉讼制度还存在一些缺点，比如，我国的《民事诉讼法》对其规定过于原则，具体的程序未做具体的规定，其内容和功能还存在不足。另外，我国《证券法》对其也未做规定。因此，建议修改《证券法》和《民事诉讼法》，以完善我国上市公司退市侵权诉讼制度，具体的完善内容如下：代表人的推行程序、当事人议事规则、代表人权限的限制以及代表人诉讼适用范围等内容。

（二）借鉴美国集团诉讼制度，完善我国上市公司退市侵权群体诉讼制度

美国集团诉讼制度，被誉为"最经济和最有效地保护共同利益当事人诉讼的制度"，其程序简单、诉讼成本较低，比较有利于当事人诉讼。在美国证券市场中，集团诉讼保护投资者的利益，督促证券市场参与人履行义务等方面起到较大作用。但是，美国集团诉讼也有着其缺点，如它的诉讼技术结构比较复杂，对法官的要求比较高，法律的重要作用贯穿于诉讼始终，从代表人的资格、集团的存在与否的审查、集团成员参与诉讼的适当通知、诉讼代表人的监督、赔偿金的分配等，无不要求法官具有较高的职业素养。但是，随着我国法律法规的完善，法官的素质也得到了极大地提高，采用集团诉讼制度解决我国上市公司退市的侵权群体纠纷，应当是较为合理的办法。因此，我国应当借鉴美国集团诉讼制度，来完善我国上市公司退市制群体侵权纠纷。

（三）引进团体诉讼制度，完善我国上市公司退市群体诉讼制度

除了采取代表人诉讼制度，以及吸取美国的集团诉讼制的优点外，本书认为，对上市公司退市民事责任诉讼，还可以采取团体诉讼制度。具体的实施办法是，可以仿照设有一个类似于我国消费者权益保护协会的机构，如设立上市公司退市投资者保护协会，其机构主要职能就是为在上市公司退市中受到侵害的证券市场投资者尤其是中小投资者提供法律咨询、法律援助、接受投资者赋予的诉讼实施权，以起到保护证券投资者的利益。我们通过制定法律，规定其团体诉讼的权利，当上市公司退市时，投资者的权益受到侵害，上市公司退市投资者保护协会可以根据章程以自己的名义提起不作为之诉，达到预防保护之功效；同时，也可以接受投资者的委托成为其诉讼担当人，提起损害赔偿之诉，起到事后救济的作用。这里所指的诉讼担当制度，是指在上市公司退市中利益受到侵害的投资者可以自己提起损害赔偿之诉，但如果投资者之间无法提出诉讼，则可以委托上市公司退市投资者保护协会行使诉讼实施权，以保护自己的权益。

（四）完善我国代表人诉讼制度中的诉讼收费制度

在完善代表人诉讼制度后，我们应当完善诉讼中重要的一个环节，即诉讼收费制度。根据我国《民事诉讼法》的规定："当事人进行民事诉讼，应当按照规定缴纳案件受理费。"

对于财产案件，除了缴纳案件受理费，还要缴纳其他诉讼费。尽管我国最高人民法院《民事诉讼法若干意见》第129条规定："依照民事诉讼法第五十五条审理的案件不预交案件受理费，结案后按照诉讼目标额由败诉方交纳。"但实际上，都是由原告预先缴纳费用。民事诉讼费的预交制度，导致经济实力比较弱的投资者无法承担巨额的诉讼费而无法提取诉讼。在上市公司退市过程中，受到侵权的往往是投资者，特别是中小投资者，一般资金不是很充足，属于弱者，他们所面对的是财产雄厚的上市公司的控股股东或者是高级管理人员，因而会面临巨额的诉讼费用而望而止步。为了解决这一问题，我们应当建立"风险诉讼"制度。"风险诉讼"制度将诉讼结果与律师费挂钩，当事人与律师约定，如果胜诉，律师可以从赔偿金中获取高额的诉讼代理费，如果败诉，则由律师承担风险，承担诉讼费。尽管风险诉讼制度可能会导致律师职业道德下降，但是，只要制定好防范措施，对投资者保护而言，确是一个较为合理的制度，建立风险诉讼制度能够使投资者放弃各种顾虑，通过诉讼途径来寻求救济，获得赔偿，起到保护投资者的目的。

（五）建立证券投资者股本保险制度

在证券上市公司退市民事赔偿责任的机制下，最为关键的问题便是如何最大限度地保护投资者合法利益问题。为了恰当地解决这一问题，本书认为可以引入保险机制，即对上市公司要求其股本购买相应的职业责任保险。当上市公司由于出现重大违法行为而导致退市，并导致投资者造成损失，投资者可以直接向保险公司进行理赔。建立证券投资者股本保险制度的目的在于：一方面，当赔偿责任发生时，投资者所受损害可以有效地将风险转移，不至于使得投资者的利益受到太大的影响；另一方面，有了保险公司的介入，可以使上市公司本身支出的赔偿费用得到较为可靠的、充分的弥补，并且可以有效地缓解上市公司所负担赔偿机制下赔偿不充分的这一问题。

第五节　建立健全证券市场多层次资本市场体系

多层次证券市场，既包括多层次的股票市场，也包括债券市场和场外交易市场。从证券市场体系来看，我国证券市场应形成四个层次的发展框架，即证券交易市场、创业板市场、现代场外交易市场和分散的柜台市场。证券市场的各个不同层次对于不同的企业，有不同的筛选机制，使企业可以递进上市或递退下市，从而形成一个完整的证券市场机构体系。

一、证券市场多层次"阶梯市场"的构建

多层证券市场体系，是指一个国家或地区内由若干个在上市条件、交易场所、信息披露、监管等方面存在差别的不同市场组成的体系。在很多国家或地区，存在由主板市场、二板市场、三板市场组成的多层次证券市场交易体系，多层次证券市场交易为上市公司退市提供了通道和出口。例如，美国证券监管机构对达不到上市要求的公司会给予

一定的整改期限，如果在整改期限内完成证券，股票恢复正常交易；反之，将会被退出到场外交易。我国证券市场主要分为：主板(含中小企业板)、创业板和场外交易市场三个层次，中小企业板尽管是一个单独的交易板块，但除了其上市公司的规模较小之外，从发行上市标准、交易制度等方面来看，还是主板的组成部门，属于主板内部的分层。

(一) 加强主板证券市场的完善

证券主板市场是多层次证券交易市场的核心，对证券市场的发展起着至关重要的作用。我国经过20多年的发展，主板市场还不是很完善，主要体现在上市公司的上市标准及退市制度方面。因此，我国应当加强对主板市场的发展，对其进行完善，本书认为，应当从以下几个方面对其进行完善：

一是我国要对证券市场上市制度进行改革，严格规范上市公司上市的标准，规范上市公司上市具体流程，减少行政干预上市，形成一个公平、完善的主板上市公司上市规则。

二是完善主板市场的上市公司退市标准及其退市的程序，以求优化上市公司质量，提高上市公司的竞争力。

(二) 设立二板证券市场

二板证券市场，是相对应主板证券市场而存在的，主要是针对高技术型中小型企业的发展而设立的，二板市场具有监管严、风险较高等特点，证券市场发达的国家都已设立二板市场。我国的二板市场主要是深圳证券交易所设立的中小板和创业板，但是从发展的特点来看，除了上市公司规模较小之外，所采取的上市的规则、交易的制度和主板市场如出一辙，成为主板市场的内部分层，此种发展模式极不利于二板市场发展，进而也阻碍了整个证券市场的发展。因而，我国应当建立完善的中小板、创业板上公司的制度，全面发展中小板和创业板。对此，本书认为，应当从以下几个方面完善我国的证券市场的二板市场：

一是我国要制定完善的中小板、创业板退市规则。因中小板、创业板具有高风险的特点，在退市规制方面，要更为严格，更为具体，其严格程度要高于主板市场。

二是我国要制定完善的中小板、创业板退市程序。对于中小板、创业板的退市程序，应当更为多元化，要突出中小板、创业的特点，使其退市更为流畅。

三是我国要制定严格的中小板、创业板的市场监管制度。中小板、创业板的上市公司存在高风险，监管部门要制定严格的信息披露制度，严格控制其存在的风险，明确监管权责的划分，最大限度地保障投资者的合法权益。

(三) 完善证券场外交易市场

证券场外交易市场主要是接受主板市场或二板市场实行的转换下市、股权置换、购买下市的公司，起到整顿和挽救效益比较差的公司。完善场外交易系统，是为上市公司退市提供交易管道，如上市公司因在主板、二板退市，其股票并没有失去内在的价值，股票仍然可以流通，场外交易市场就是为其提供交易的平台，保证其股票的价值，将投资者的损失降到最小。

二、建立场外、场内交易市场的转板市场机制

转板是指上市公司在主板上市，因经营行为或经营条件的变化，基于市场规则的要求而主动或被动地转到二板、三板市场进行交易的行为。2002 年 11 月，中国证券业协会发布的《亏损上市公司暂停上市和终止上市实施办法(修订)》中提出："股票终止上市的公司可以依照有关规定与证券业协会批准的证券公司签订协议，委托证券公司办理股份转让。"尽管我国明确要求面临退市的上市公司董事会，应当提前为股东进入代办系统转让股份做出制度安排，但是由于没有明确退市公司究竟应该在多长的期限内代表系统挂牌，因此，众多退市公司从主板退出后便形成我行我素、置投资者利益于不顾的严重局面，其股票转让处于停滞状态。2004 年 2 月，中国证券监督管理委员会发布了《关于做好股份有限公司终止上市后续工作的指导意见》，决定在自愿金融代办系统的基础上，建立"自愿为主、指定为辅"的强制平移机制。该指导意见强调，除有省级政府特例批准允许不挂牌之外，其他所有在主板市场的公司必须于终止上市后的 45 个工作日内，将其可流通股份在代办股份转让系统(三板市场)挂牌交易。公司在期限内不能进入代办系统转让股份的，由证券交易所为其指定主办证商在限期内办理完有关手续，以便投资者转让股份。但是，该规定仅限于主板市场上退市的公司，而在代办股份转让系统中的退市公司能够再上市的几乎没有，该规定也就成了虚设。由此可见，我国转板制度在一定程度上还需要进一步完善。

(一)建立完善的转板机制

对于建立完善的转板机制，主要从以下几个方面着手：

一是建立上海、深圳证券交易所的股票自由转板机制。以上海、深圳证券交易所为基础，建立上海、深圳证券交易所上市公司股票自由转板机制，打破传统的行政化制约，有利于实现证券交易所之间的竞争。

二是建立"升板"和"降板"机制。如上市公司资质高，业绩好，则可以升入高层市场；如上市公司资质低，业绩不好，则降入低级市场。"升板"的选择根据上市公司自身的意愿。当然，"降板"是采取强制性的，主要是因为不符合高层次的市场上市的标准。

三是建立场外市场进入主板和创业板机制。如果场外市场的上市公司达到上市标准，可以自愿选择进入主板和创业板上市。

(二)建立快捷高效的转板程序

对于建立快速高效的转板程序，主要从以下三个方面着手：

一是对于不同层次的上市公司转板，要履行上市公司上市和退市程序，具体主导机构为证券交易所，证券交易所负责对转板的上市公司资质审核。

二是上市公司申请转板，要根据《公司法》《证券法》的规定，公司董事会通过决议，股东大会多数股东同意后，向证券交易所提出转板申请。

三是在转板程序设计上方面，应当减少审批程序，在审批时间方面应当减少，费用方面给予优惠。

三、完善代办股份转让系统

代办股份转让系统，俗称"三板"，是一个以证券公司及相关当事人的契约方为基础，依托证券交易所和登记结算公司的技术系统，以证券公司带来买卖挂牌公司股份为核心业务的股份转让平台。代办系统由中国证券交易协会负责自律性管理机制，以契约明确参与各方的权利、义务和责任。近年来，我国代办股份转让系统挂牌系统呈现逐年下滑趋势，已不能适应当下证券市场的发展。因此，应对代办股份转让系统加以完善，以适应证券市场的发展。

(一) 建立完善的融资制度

证券市场的最基本的功能即是融资，代办股份转让系统是为了保证退市股票的价值，以缓解退市的压力，其目的也是为了公司能够重新上市。因此，代办股份转让系统应当完善其再融资的功能，制度明确的融资规则，准许经营业务较好的公司增发配股，为了区别于证券交易所融资规则，代办股份转让系统的融资要体现出场外交易的特点，不过分地关注公司的业绩，但也要设定一些规则，如对股份公司的年限、股本份额、公司年利润进行一定的限制，只要符合上述限制，即可在股份转让系统进行再融资，以起到重新上市的目的。

(二) 引入做市商机制

做市商制度是由证券市场中信誉和经济实力比较强的证券公司作为特许的交易商，向投资者报出买入和卖出的双边价格，双方进行交易，交易的价格由做市商确定。我国《证券法》第38条规定："证券在证券交易所上市交易，应当采用公开的集中交易方式或者国务院证券监督管理机构批准的其他方式。"我国证券市场的公开的交易方式主要有：集中竞价、大宗交易。其中国务院证券监督管理机构批准的其他方式就有做市场交易。因此，在股票转让系统中的公司，基本是一些规模比较小、业绩比较少，股票波动比较大的公司。引入做市商机制，既有助于增加市场的流动性和稳定性，同时也可以帮助上市公司提高交易信息的透明度。对于投资者和上市公司而言，是比较优越的制度。

(三) 建立完善的代办股份转让系统退市机制

建立完善股票转让系统退市机制，是为了防范代表股份转让系统中的公司股票成为"垃圾股聚集地"，影响股份转让系统所存在的价值。因此，在代办股份转让系统中应当建立完善的退市机制，形成优胜劣汰的淘汰机制，提高股票转让系统中的公司质量。我国证券代办转让股份系统的运行缺少对公司的经济业绩的要求。因此，我国的股份转让系统也应当建立完善的退市机制，对挂牌公司和退市公司提出业绩的要求，如果不能提高公司的业绩，也应当从股份转让系统中退出，以体现退市制度的严肃性。

结　　论

没有强制力的法律是一把不燃烧的火、一缕不发亮的光。

——鲁道夫·冯·耶林

上市公司退市制度是证券市场制度体系中的重要环节和组成部门。近年来，我国证券市场发展迅速，取得了一定的成绩。但是，我国上市公司退市制度长期处于停滞发展的状态，严重影响了证券市场的发展，同时也阻碍了整个市场竞争的发展。具体而言，我国上市公司退市制度存在不足主要包括：上市公司退市标准单一、程序不够全面、监管不严，民事责任体系不完善，证券市场的多层次转板体系存在缺失。

一、本书的观点

1. 我国需要完善上市公司退市规则体系

我国上市公司退市规则的标准过于单一，程序不够完善，应当设置科学多元化的法定退市标准，特别是在法律层面应当完善上市公司退市标准，为证券交易所进行退市规则的改革提供上位法源支持。在完善上市公司退市规则方面，本书主要从三个方面着手：

一是细化我国上市公司退市的标准和程序。在细化我国上市公司退市标准方面，本书建议我国细化上市公司股本总额与股本结构标准，同时明确"公司重大违法行为"的标准，并且将"上市公司三年连续亏损"的标准修改为"累计亏损"标准。在细化我国上市公司退市程序方面，本书建议我国设置多元化的退市程序，完善退市整改期限，同时建议我国建立上市公司退市复议与听证程序。

二是建立科学的上市公司主动退市制度。我国应当在法律层面明确上市公司主动退市决策程序，同时建立科学合理的主动退市独立审查人机制和有效的异议股份回购程序。

三是建立科学的证券市场股票定价机制。我国应当建立完善的风险警示机制、信息披露机制和完善的舆情监控和引导机制。

2. 我国需要加强对上市公司退市的监管

首先，要对上市退市监管机构进行正确的定位，我国立法部门应尽快修改相关的法律法规，特别是《证券法》的相关条款，并把上市公司退市监管机构的法律地位、职能、组织机构等专门的条款加以明确，完善上市公司退市监管机构的权力运行机制，并妥善处理好与自律机构的关系，其次，要健全监管制约机制，本书主要从立法监督、司法监督、行政监督和内部监管四个方面进行构建，立法监督方面，严格规定监管部门制定规则即有关规则的程序，建立对上市公司退市监管机构的公开听证制定、年度报告审查机制、监管机构工作人员的法律责任；在司法监督方面，设立专门机构对上市公司退市监管部门的决定进行司法复议，理顺上市公司退市监管与司法监管体制的关系；在行政监督方面，主要是建立上市公司退市违法行为查处权的监督制约机制；在内部监管方面，主要是在管理机制上，要完善内控机制，特别是内部监督机制。如在委员会中设立非执行委员和财政预算委员会、督核内部委员会等委员会。

3.我国需要建立完善的上市公司退市民事责任体系

建立完善的民事赔偿制度，首先要明确上市公司退市中重大违法行为和上市公司退市中重大违法公司及相关责任主体的民事赔偿。其次是建立完善上市公司退市群体侵权诉讼制度。本书建议修改我国《证券法》《民事诉讼法》及相关法律，完善我国上市公司退市侵权诉讼制度，并且借鉴美国集团诉讼制度，引进团体诉讼制度，完善我国代表人诉讼制度中的诉讼收费制度，最后，本书建议建立证券投资者股本保险制度，完善我国上市公司退市民事责任赔偿问题。

4.我国需要建立完善的多层次证券市场

对于我国建立完善的多层证券市场，本书建议从以下三个方面着手：

一是证券市场多层次"阶梯市场"的构建。主要是加强主板证券市场的完善，设立二板证券市场，并且完善证券场外交易市场。

二是完善代办股份转让系统。主要是建立完善的转板机制、快捷高效的转板程序。

三是建立场外、场内交易市场的转板市场机制。主要是建立完善的融资制度，引入做市商机制，并且完善我国的代办股份转让系统退市机制。

二、本书的创新性

本书的主要创新点在于从法律制度的视野对上市公司退市进行制度构建，"市场干预"和"法律的不完备理论"为上市公司退市制度的构建提供了理论支持，上市公司退市制度的构建最根本的目的是健全证券市场，实现优胜劣汰，提高上市公司的市场竞争力。

在深入考察证券法学、公司法学等相关制度的基础上，从我国上市公司退市制度的演变和发展及国外上市公司退市制度的发展情况，并通过制度经济学、法经济学、管理学等理论系统性地探讨我国上市公司退市制度，并针对我国上市公司退市制度的时代特点，完善我国上市公司退市制度。

建立完善的上市公司退市制度。本书主张从以下几个方面入手：

一是健全完善的上市公司退市规则体系。首先是完善的重大违法公司强制退市制度，将有严重欺诈发行和重大信息披露违法违规事件的上市公司，纳入到强制退市情形，实行强制退市，并建立完善的暂停上市和终止上市规则；然后是完善上市公司主动退市体系，对于主动退市的途径、方式、内部决定程序进行构建，为建立更顺畅的"能上能下"的退市机制提供了基础。

二是建立严格的上市公司退市监管机制。好的制度，贵在执行，证券交易所应当按照退市制度的相关规定，严格执行，对于一些达到退市标准的上市公司，启动退市程序，减少实施弹性。

三是建立完善的上市公司退市民事责任体系。

分析我国上市公司退市制度构建的实现路径。本书主张从理念、法律、操作三个层面着手，积极推进我国上市公司退市制度改革。首先是改变以"只上不退"的传统僵化的上市公司退市的观念；其次是抓紧修改和制定证券法等相关法律法规，消除上市公司退市制度障碍；最后是建设规范统一的上市公司退市制度，提供上市公司主动退市、强制退市的操作平台。要明确上市公司退市的必要性，其中必然涉及到有些法律规定并不是那么适宜现实情况，因此，要建立统一的标定，即统一的规章制度。在退市过程中，必然涉及到中小股东利益受到侵害，应当对中小股东利益加以保护，同时建立完善的上市公司退市民事责任。

三、本书的局限性

对于本书的局限性，主要有以下几个方面：

一是如何将国外的先进制度本土化，在借鉴国外先进制度时又能够分步骤地实施，并能够结合我国基本国情，此过程是一个全新的体系构建过程，难度很大，具有挑战性，需要进一步深入探讨研究。

二是对于如何更深入地设计符合我国国情的上市公司退市规则体系、监管机制及法律责任体系，提出的具体安排和实现路径需要进一步加强研究，特别是在我国证券市场发展不成熟、不完整导致监管经验不足的情况下如何趋利避害，选择最具有参考性的国外经验来设计中国上市公司退市监管模式，有待于更深入、更具体、更细化、更全面地探讨。

三是关于我国的上市公司退市制度的具体构建已经进行了论述，虽然研究得还不够深入，但是在证券发行注册制改革的大背景下，势必影响我国上市公司退市制度，本书对其进行了理论构建，希望起到"抛砖引玉"的作用，引起学术界的广泛讨论，大家共同推动其不断发展。

参 考 文 献

一、中文著作

[1] 白慧林. 控股公司控制权法律问题研究[M]. 北京：北京大学出版社，2010.

[2] 白建军. 法律实证研究方法[M]. 北京：北京大学出版社，2008.

[3] 陈瑞华. 论法学研究方法[M]. 北京：北京大学出版社，2009.

[4] 崔文玉. 日本公司法精要[M]. 北京：法律出版社，2014.

[5] 邓峰. 普通公司法[M]. 北京：中国人民大学出版社，2009.

[6] 范健，王建文. 证券法[M]. 北京：法律出版社，2010.

[7] 高闯，刘涛. 中国企业公司治理案例[M]. 北京：经济管理出版社，2013.

[8] 侯东德. 股东权的契约解释[M]. 北京：北京大学出版社，2009.

[9] 胡田野. 公司法律裁判[M]. 北京：法律出版社，2012.

[10] 黄茂荣. 法学方法与现代民法[M]. 5版. 北京：法律出版社，2007.

[11] 蒋大兴. 公司法的观念与解释[M]. 北京：法律出版社，2009.

[12] 孔祥俊. 法律方法论[M]. 北京：人民法院出版社，2006.

[13] 赖英照. 股市游戏规则最新证券交易法解析[M]. 中国政法大学出版社，2006.

[14] 李建伟. 公司法学[M]. 北京：中国人民大学出版社，2014.

[15] 李建伟. 公司诉讼专题研究[M]. 北京：中国政法大学出版社，2008.

[16] 拉伦茨. 法学方法论[M]. 陈爱娥，译. 北京：商务印书馆，2004.

[17] 柯武刚，史漫飞. 制度经济学：社会秩序与公共政策[M]. 韩朝华，译. 北京：法律出版社，2012.

[18] 阿列克西. 法、理性、商谈[M]. 朱光、雷磊，译. 北京：中国法制出版社，2011.

[19] 韦伯. 社会科学方法论[M]. 李秋零、田薇译，北京：中国人民大学出版社，1999.

[20] 曼德比西勒，怀克. 德国公司法[M]. 殷盛，译. 北京：法律出版社，2010.

二、中文学术论文

[1] 丁丁，候凤坤. 上市公司退市制度改革：问题、政策及展望[J]. 社会科学，2014 (1)：109-117.

[2] 范建军. 中国发展多层次资本市场的短板：做市商制度[J]. 重庆理工大学学报（社会科学版），2010 (7)：45-49.

[3] 冯果，李安安. 上市公司主动退市过程中的利益冲突及其法律规制：以中小股东权

益维护为中心[J]. 南都学坛, 2011 (5)：68-72.

［4］何明霞. 中国股市"壳"资源价值研究[J]. 江汉论坛, 2004 (4)：25-27.

［5］胡海峰, 罗惠良. 多层次资本市场建设的国际经验及启示[J]. 中国社会科学院研究生院学报, 2010 (1)：6.

［6］胡鸿高, 胡伟. 控制股东信义义务的法理检视[J]. 云南大学学报(法学版), 2010 (6)：63-67.

［7］黄荣业. 日本多层次资本市场考察研究报告[J]. 集美大学学报(哲学社会科学版), 2008(4)：21-26.

［8］黄彦琳, 王于栋. 创业板市场股票退市前后的投资者保护：基于博弈的视角[J]. 金融与经济, 2010(5)：50-53.

［9］江晓东, 黄良文. 中国股市非理性投资的现状、成因及培育理性投资理念的建议[J]. 商业经济与管理, 2002(10)：41-45.

［10］雷志军. A股市场借壳上市的主要模式与交易结构的设计[J]. 经济视角(下), 2010 (9)：66-68, 75.

［11］黎红刚. 发行的大趋势：核准制向注册制转变[J]. 上市公司, 2001(5)：15-16.

［12］黎元奎. 过度介入与适度退出：中国证券市场政府行为分析[J]. 上海金融, 2005 (7)：20-24.

［13］刘道远. 多层次资本市场改革语境下证券交易制度研究[J]. 法学论坛, 2010, 25 (1)：69-75.

［14］刘国胜. 我国资本市场结构下转板机制的探寻[J]. 改革与战略, 2011 (9)：36-40.

［15］刘俊, 吴运松, 贺煜. 发展我国证券业的场外交易市场[J]. 新金融, 2001(11)：3.

［16］刘俊海, 李勤峰. 完善国有企业公司治理的几点思考[J]. 企业文明, 2015(1)：33-34.

［17］马光远. 利用创业板完善上市公司退市机制[J]. 董事会, 2009 (6)：96.

三、外文著作

［1］ARMEN A A. University Economics[M]. Belmont：Wadsworth Publishing Company, 1972.

［2］BAIRD D G. The Elements of Bankruptcy[M]. NewYork：Foundation Press, 2010.

［3］FERNANDO A, NEIL M. Law and Legal Interpretation[M]. London：Ashgate Publishing, 2003.

［4］Hansmann H, Mattei U. The Functions of Trust Law：A Comparative Legal and Economic Analysis[J]. New York University Law Review, 1998, 73(2)：434-479.

［5］HAGE J C. Reasonng with rules：An Essay on Legal Reasoning and Its Underlying Logic [M]. New York：Kluwer Academic Publishers, 1997.

四、外文论文

［1］KNUDSEN J S. Company delistings from the UN Global Compact：Limited business demand or domestic governance failure? [J]. Journal of Business Ethics, 2011, 103(3)：331-349.

［2］KOENIG J M. A Brief Roadmap to Going Private [J]. Columbia Law Review,

2004：505.

[3] LEW N, Ramsay I. Corporate law reform and delisting in Australia[D]. Melbourne：The University of Melbourne, 2006.

[4] JONATHAN R M, HARA M, DAVID P. Down and out in the stock market：The law and finance of the delisting process[J]. Social Science Research Network, 2005：583401.

[5] VENKATESH P, INGRID M. Werner. From pink slips to pink sheets：Market quality around delisting from NASDAQ[D]. 2004 Maastricht Meetings, 2004：4572.